DEATH NOTE

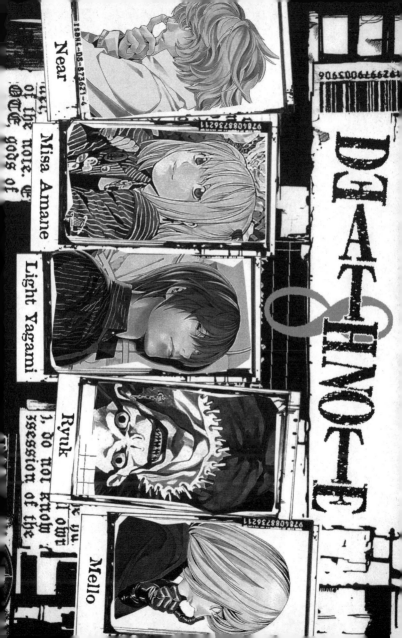

Sayu Yagami

Sachiko Yagami

Soichiro Yagami

Matsuda

Ide

Aizawa

Mogi

DEATH

...quête escrito en este Cuaderno morirá...". Ryuk el shinigami —mensajero de la muerte— deja caer un "Cuaderno de la muerte" al mundo humano. Quien lo ...ocido como "Kira", que, con el fin último de moldear una sociedad ideal, decide utilizar el Cuaderno para purgar el mundo de criminales atroces. ...e hace llamar "L". Así empieza la lucha titánica entre los dos...

...egundo Kira" provoca que las sospechas de L alberga sobre Light se hagan todavía más fuertes. Y Light, con la intención de librarse de las sospe... ...ropia voluntad, divierte poco después a Ryuk que abandona el Cuaderno. El hecho de perder los derechos de posesión del Cuaderno provoca que su... ...parecer otro Kira en escena, sea liberado y empiece a colaborar con L para tratar de atraparle. Las pesquisas permiten determinar que este Kira es ...ean su arresto. Una vez consiguen rivearle, L y los suyos descubren la existencia de los Cuadernos de muerte y de los shinigami. Pero como Light tam... ...ora aflora de nuevo y asesina a Higuchi. Ahora que han muerto todos los que sabían algo sobre la libreta, la única opción es interrogar al shinigami, ...información válida de sus labios. Y así empieza el segundo paso del plan que urdió Light en el momento de abandonar el Cuaderno: matar a L. Sirven... ...del afecto que L le profesa hacia ella, consigue por fin eliminar a Watari y a L. Todo parece indicar que la lucha entre los dos había ll... ...o años después, ante un Light que realiza perfectamente al mismo tiempo los papeles del nuevo L y de Kira, y que cada vez se aproxima más a un ob... ...en los Estados Unidos se ponen en marcha dos individuos que han tomado el relevo de L: Uno L y de ellos es Near, que comunica la muerte de L y la exist... ...te del país y reúne el encargo de establecer una agencia contra Kira. El otro oro es Mello, que secuestra al director de la policía japonesa con el objet...

DEATH NOTE VOLUMEN 8
OBJETIVO

PAGE.62 DECISIÓN

SÍ. AJÁ.

¡AAAH! ¿PERO POR QUÉ SAYU?

ESTÁ FATAL.

PAPÁ... ¿ESTÁS BIEN...?

DE ACUERDO, GRACIAS. PERDONA POR LLAMAR TAN TARDE.

¿HM? SÍ...

PAPÁ, SAYU LE ESCRIBIÓ UN MAIL A SU AMIGA SOBRE LAS 12.40 Y ASISTIÓ A LA CLASE DE LA TERCERA HORA. ESTO SIGNIFICA QUE HASTA LAS TRES DE LA TARDE, MÁS O MENOS, ESTUVO...

SÍ... LO SÉ...

IDE...

VICEDIREC-TOR, NO DES-FALLEZCA, POR FAVOR. RECUERDE QUE AHORA ES USTED EL VERDADERO LÍDER DE LA POLICÍA...

...

E... ¡EH, PARA EL CARRO, HOMBRE! ¡HAN DICHO QUE LA MATARÍAN SI NOTABAN ALGÚN MOVI-MIENTO EN EL CUERPO, ¿NO LO HAS OÍDO...?!

BIEN, ¿LE PARECE QUE INFORME A TODAS LAS SECCIONES DEL ASESINATO DEL DIRECTOR Y DEL SECUES-TRO DE SU HIJA, PUES?

...

AIZAWA... ESTO NO ES NADA PROPIO DE TI... CUANDO LO DEL SECUESTRO DEL DIRECTOR, EL VICEDIREC-TOR DIJO SIN PENSARLO DOS VECES QUE HABÍA QUE INFORMAR A TODAS LAS UNIDADES. NO SERÍA PROFESIONAL NI DESEA-BLE QUE, POR TRATARSE AHORA DE ALGUIEN DE SU FAMILIA, CAMBIARA DE POSTURA.

IDE... COMO MUY BIEN HAS DICHO, QUIEN MÁS AUTORIDAD TIENE AHORA MISMO EN LA POLICÍA ES EL VICEDIRECTOR. NOSOTROS DEBE-MOS LIMITARNOS A OBEDECER SUS ÓRDENES...

...

TIENES RAZÓN... CAMBIAR DE POSTURA, POR MUCHO QUE SE TRATE DE MI HIJA, NO SERÍA DIGNO DE UN BUEN POLICÍA...

A... AVISAD A TODAS LAS SECCIONES...

¿QUÉ QUIERES DECIR?

IDE, TÚ TAMBIÉN CÁLMATE Y PIÉNSALO BIEN, POR FAVOR.

ESTÁS EQUIVOCADO, PAPÁ... MEJOR DICHO, NO LO HAS PENSADO LO SUFICIENTE.

¡OH!

...SINO KIRA.

QUIEN ASESINÓ AL DIRECTOR NO FUE PROBABLEMENTE EL SECUESTRADOR...

LO QUE VOY A DECIR AHORA NO ES MÁS QUE UNA HIPÓTESIS Y, COMO TAL, EN PRINCIPIO NO DEBE TOMARSE COMO NADA MÁS...

... ...

NO LO ENTIEN-DO.

¿EH? ¿QUÉ QUIERES DECIR, LIGHT?!

...ASÍ QUE ASUMIRÉ QUE SOMOS TODOS DE CONFIANZA... SIN EMBARGO, QUIERO DEJAR CLARO QUE ES POSIBLE QUE NO PODAMOS CONFIAR DE LA MISMA MANERA EN TODO EL CUERPO DE POLICÍA...

SOSPECHAR QUE ALGUNO DE LOS QUE ESTAMOS AQUÍ PROPORCIONA INFORMACIÓN A KIRA NOS DEJARÍA CON LAS MANOS ATADAS...

VEAMOS...

ADEMÁS, EN SU LLAMADA, EL SECUESTRADOR NO HA HABLADO EN TÉRMINOS DE "HE MATADO AL DIRECTOR", SINO DE "EL DIRECTOR HA MUERTO"...

HO... HOMBRE, VISTO ASÍ...

...

PENSÉMOSLO: ¿QUÉ VENTAJAS OBTEN-DRÍA EL SECUESTRADOR QUE EXIGIÓ CAMBIAR AL DIRECTOR POR LA LIBRETA SI MATABA A SU REHÉN? HOMBRE, FORZANDO LAS COSAS SE PODRÍA PENSAR QUE QUIERE DEMOSTRAR, HACIENDO GALA DE SU CRUELDAD, QUE VA EN SERIO. PERO NO POR ESO ES NECESARIO LLEGAR A LAS ÚLTIMAS CONSE-CUENCIAS Y ACABAR CON SU VIDA.

...

NO PUEDO EVITAR PENSAR QUE ALGUIEN DE LOS NUESTROS SE LO HA COMUNICADO A KIRA...

Y ESTO HA OCURRIDO NADA MÁS TRANSMITIRSE LA NOTICIA DEL SECUESTRO POR TODA LA JEFATURA...

Y SUPONGO QUE KIRA IMAGINA PERFECTAMENTE LO QUE IMPLICABA EL SECUESTRO DEL DIRECTOR DE LA POLICÍA JAPONESA.

ES PERFECTAMENTE POSIBLE QUE KIRA SEPA, A PARTIR DE LO DEL ASESINATO DE HIGUCHI, QUE TENEMOS UN CUADERNO EN NUESTRO PODER. Y MÁS SIENDO QUE EL FBI Y EL SECUESTRADOR LO SABEN TAMBIÉN...

HOMBRE, ES QUE ASÍ ES, ¿NO?

ES LO QUE YO CREO.

Y POR ESO MATÓ AL DIRECTOR...

¿SE CREE?

ADEMÁS, AHORA MISMO ÉL DISPONE DE OTRA LIBRETA Y NO NECESITA LA NUESTRA...

KIRA ES UN ASESINO, PERO SE CREE QUE LO QUE HACE ES JUSTO... QUIERE EVITAR QUE UNO DE ESOS CUADERNOS LLEGUE A MANOS DE ALGUIEN MALVADO; POR ESO PREFIERE QUE SIGA EN MANOS DE LA POLICÍA...

¿QUÉ QUIERES DECIR?

ESTO TAMBIÉN ES, SIN EMBARGO, UNA PISTA QUE PUEDE LLEVARNOS HASTA KIRA.

ENTIENDO... TIENES RAZÓN, TIENE SENTIDO...

LAS POSIBILIDADES DE QUE, MÁS ADELANTE, ALGUIEN DESCUBRA EL CUADERNO POR CASUALIDAD, NO SON NULAS. PERO SI NOS MATA A TODOS NOSOTROS, NO LE SERÁ POSIBLE DESCUBRIR SU UBICACIÓN. RECORDEMOS QUE ASESINÓ A LOS SIETE DE LA YOTSUBA; SI TUVIESE LAS COSAS CLARAS, NOS ELIMINARÍA SIN PENSARLO DOS VECES.

AUNQUE KIRA NO SABE DÓNDE ESTÁ ESCONDIDO EL CUADERNO, NI POSIBLEMENTE TAMPOCO SABE QUE MI PADRE ES EL ÚNICO QUE TIENE ESA INFORMACIÓN. PORQUE, SI NO QUIERE QUE ESA LIBRETA VUELVA A SALIR A LA LUZ, ES TAN FÁCIL COMO QUITARLO DEL MAPA.

HM...

TRAS LA MUERTE DE L, NO PUDIMOS ENCONTRAR A NADIE RELACIONADO CON LA POLICÍA QUE PUDIESE ESTAR VINCULADO CON KIRA. PERO AHORA EXISTE LA POSIBILIDAD DE QUE VUELVA A ESTAR INFILTRADO EN EL CUERPO.

SÍ, KIRA VUELVE A TENER ACCESO A INFORMACIONES POLICIALES, PERO ES UN CIVIL...

ENTIENDO... SIGUIENDO ESTE MISMO HILO DE PENSAMIENTO, PODEMOS CONCLUIR QUE ENTRE LOS QUE ESTAMOS AQUÍ NO ESTÁ NI KIRA NI EL QUE LE PROPORCIONA INFORMACIÓN.

AÚN ASÍ, YA QUE LO QUE PREDICA ES LA JUSTICIA, NO PUEDE MATARNOS A TODOS LOS INTEGRANTES DE LA POLICÍA... ASÍ ES COMO PIENSA KIRA.

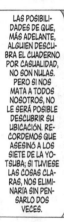

SI SE ENTERA DE QUE ALGUIEN SIGUE SUS PASOS, ESE ALGUIEN MORIRÁ SIN REMEDIO.

...TODO DEPENDE DE HASTA QUÉ PUNTO PODEMOS DISIMULAR QUE LE ESTAMOS PERSIGUIENDO.

...

...

POR LO QUE, PARA LOCALIZAR A KIRA...

...

...

HM,

¿SERÁ ALGUIEN CON INFLUENCIAS EN LA JEFATURA...? ¿O ACASO KIRA HA ROTO LAS MEDIDAS DE SEGURIDAD Y HA PENETRADO EN EL SISTEMA...? SEA COMO SEA, SI INFORMAMOS A TODAS LAS SECCIONES, SE ACABARÁ ENTERANDO... CREO QUE DEBEMOS TENERLO CLARO.

SI. POR SUPUESTO, NO ES MÁS QUE UNA DE LAS HIPÓTESIS POSIBLES, PERO ES DEMASIADO PELIGROSO.

¡ESO MISMO!

DE ACUERDO, LIGHT... SI INFORMAMOS DEL SECUESTRO DE LA HIJA DEL VICEDIRECTOR, ES PERFECTAMENTE POSIBLE QUE KIRA LA ACABE MATANDO... ES LO QUE QUIERES DECIR, ¿NO?

ASÍ QUE PIENSO QUE, EN LO POSIBLE, SÓLO DEBERÍAMOS PONERNOS EN MARCHA NOSOTROS.

A PARTIR DEL HECHO DE QUE EL SECUESTRADOR QUIERE ARREBATARNOS EL CUADERNO, DEBEMOS PENSAR QUE ESTO FORMA PARTE DEL CASO KIRA. Y, LO QUE ES MÁS IMPORTANTE, DE TODA LA JEFATURA, SÓLO LOS QUE ESTAMOS AQUÍ CONOCEMOS LA EXISTENCIA DEL MISMO.

HM., Y NOSOTROS ATRAPAREMOS AL SECUESTRADOR MIENTRAS NEGOCIAMOS EL INTERCAMBIO DE LA HIJA DEL VICEDIRECTOR POR LA LIBRETA...

PUES SÍ. NO PODEMOS ESCONDER LO DE SU MUERTE DURANTE MUCHO TIEMPO MÁS...

¿HACEMOS PUES QUE SALGA A LA LUZ PÚBLICA LO DEL ASESINATO DEL DIRECTOR Y HACEMOS COMO QUE ESTAMOS PERSIGUIENDO AL QUE LO HA HECHO...?

NO ES SÓLO ESO... LO QUE ACABO DE DECIR TAMBIÉN ESTABA ENCAMINADO A NO DAR PIE A QUE PIENSEN QUE NADIE DE LOS QUE ESTAMOS AQUÍ ES KIRA, EN ESPECIAL MI PADRE Y YO...

¡JU, JU! QUÉ BIEN SE LO HAS HECHO TRAGAR, LIGHT. SI LA POLICÍA REALIZA ALGÚN MOVIMIENTO INDEBIDO, PODRÍAN MATAR A TU HERMANITA, CLARO... A ELLA SÍ LA APRECIAS, ¿NO?

Y, EN CONTRAPOSICIÓN AL O LOS SECUESTRADORES, LA POLICÍA AMERICANA VIENE TAMBIÉN A POR EL CUADERNO DISFRAZÁNDOLO DE INVESTIGACIÓN CONTRA KIRA. SEA COMO SEA, AMBOS NO SON MÁS QUE ENEMIGOS PARA KIRA...

EL PROBLEMA ES SI NUESTRO ENEMIGO QUIERE ÚNICAMENTE LA LIBRETA... O BIEN... SI PRETENDE DESAFIAR A KIRA...

QUIEN TIENE LA ÚLTIMA PALABRA SOBRE LO QUE DEBEMOS HACER ERES TÚ, PAPÁ.

HM.

QUIERO PENSARLO TODO DE NUEVO A SOLAS...

TIENES RAZÓN.

SÍ, SÍ.

DISCUTIDLO ENTRE TODOS Y TOMAD UNA DECISIÓN. TENEMOS QUE MOVERNOS TODOS EN LA MISMA DIRECCIÓN O NO LLEGAREMOS A NINGUNA PARTE.

ガタッ

NO DIGAS ESO, PAPÁ. TE ASEGURO QUE ESTOY MUY DESCONCERTADO... VOY A REFRESCARME LAS IDEAS...

GRACIAS POR TU SANGRE FRÍA A PESAR DE QUE SE TRATE DE TU PROPIA FAMILIA...

LIGHT.

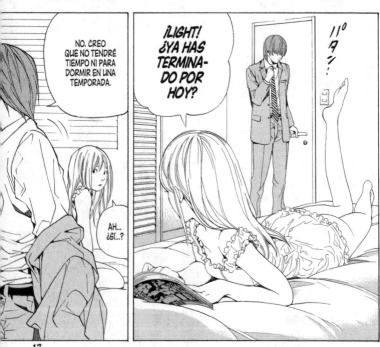

NO. CREO QUE NO TENDRÉ TIEMPO NI PARA DORMIR EN UNA TEMPORADA.

¡LIGHT! ¿YA HAS TERMINADO POR HOY?

AH... ¿SÍ...?

PARA TERMINAR, ESTÁ EL QUE ORIGINALMENTE LLEGÓ A MIS MANOS Y QUE PERTE- NECÍA A RYUK. SIN EMBARGO, RYUK Y REM SE LO INTER- CAMBIARON Y SU SHINIGAMI POSEEDOR PASÓ A SER EL SEGUNDO. TRAS UN TIEMPO CON HIGUCHI, ACABÉ YO RECUPERANDO SU POSESIÓN. ES EL CUADERNO QUE AHORA TIENE MI PADRE...

EL SEGUNDO ERA EL DE REM. PERO COMO REM MURIÓ AQUÍ EN EL MUNDO HUMANO, AHORA FORMA PARTE DE ESTE MUNDO. ES EL QUE TENGO YO.

AHORA MISMO HAY TRES CUADERNOS DE MUERTE EN EL MUNDO HUMANO... EL PRIMERO LO TIENE MISA Y EL SHI- NIGAMI QUE LO POSEE ES RYUK. SIN EMBARGO, ESTÁ ENTERRADO Y LO ÚNICO QUE TIENE MISA SON HOJAS SUELTAS...

HOMBRE, PUES EN PRINCIPIO ES SŌICHIRŌ... ¿HM? OYE, ¿TÚ RENUNCIAS- TE A TUS DERECHOS SOBRE ÉL? EMM... AUNQUE NO LO HICIERAS, AL CABO DE UN TIEMPO SE TRASLADA- RÍAN NATURALMENTE A SŌICHIRŌ, QUIZÁS... ¿NO?

¿EH?

RYUK, ¿QUIÉN TIENE LA POSESIÓN DEL CUADERNO QUE AHORA ESCONDE MI PADRE?

OJALÁ NO HUBIESE SIDO REM EL QUE ACABÓ MU- RIENDO...

QUIZÁS TENGA RAZÓN...

TÚ PONTE A DORMIR, MISA.

PERO ES QUE SI EL SHINIGAMI QUE POSEÍA A AQUEL CUADERNO ERA REM, UNA VEZ MUERTO SE ACABÓ. ¡TODO SON VENTAJAS PARA LA PERSONA QUE LO TIENE!

TSK ¡DAS MIEDO, CARIÑO!

TENGO QUE HACER LO QUE SEA PARA ATAR DE PIES Y MANOS AL SECUESTRADOR... Y A LA POLICÍA AMERICANA...

NO. NO DEBO NI PENSAR EN LA POSIBILIDAD DE QUE CAIGA EN MANOS AJENAS... Y MENOS AHORA QUE EL MUNDO SE ESTÁ INCLINANDO A FAVOR DE KIRA; NO PUEDO DEJAR QUE LO TUERZAN...

EN TAL CASO, YO TENGO VENTAJA PORQUE CUENTO CON MISA, QUE TIENE EL OJO...

AUNQUE, EN EL PEOR DE LOS CASOS, NOS ROBARAN EL CUADERNO, NO TENDRÍA QUE TEMER AL TRATO DEL OJO.

ASESINADO EL DIRECTOR DE LA JEFATURA
DE POLICÍA KITAMURA

¿QUIÉN HA SIDO...?

¿SÍ?

NEAR.

EL DIRECTOR DE LA POLICÍA JAPONESA, QUE ESTABA SECUESTRADO, HA SIDO ASESINADO.

¿NI IDEA...?

PUES... SABEMOS QUE HACE CUATRO AÑOS ESTABA EN LA INSTITUCIÓN QUE MENCIONASTE, NEAR... PERO DESPUÉS DE ESO, NI IDEA...

DE HECHO, QUERÍA ASEGURARME DE QUE NO SE CONOCE SU PARADERO.

NO, SI YA ESTÁ BIEN ASÍ.

PERDONA.

AH, CLARO...? ¿PORQUE LE CONVIERTE EN MÁS SOSPECHOSO...?

¿O ES QUE NO TIENES NINGUNA RELACIÓN CON ESTE ASUNTO...? DEJAR UNA FOTO TUYA EN EL ORFANATO FUE UNA IMPRUDENCIA...

MELLO, TÚ SIEMPRE TE EXCEDES DANDO RIENDA SUELTA A TUS PASIONES Y ACABAS COMETIENDO ERRORES ESTÚPIDOS EN LO FUNDAMENTAL...

...

SUPONGO QUE YA SE IMAGINA DÓNDE, ¿NO ES ASÍ?

¿ADÓNDE?

POR FIN HA LLEGADO SU HIJA.

¡NO VOY A ACEPTAR A MENOS QUE PUEDA COMPROBAR QUE MI HIJA ESTÁ BIEN! ¡QUIERO HABLAR CON ELLA!

NO PODRÁ SER.

¡¿QUE NO PODRÁ SER?! NO... NO ME DIGAS QUE...

TRANQUILO. ES SÓLO QUE, SI LE QUITO LA MORDAZA PARA HABLAR, PODRÍA MORDERSE LA LENGUA.

REALIZAREMOS EL INTERCAMBIO AQUÍ. COJA LA LIBRETA Y VAYA USTED SOLO, EN EL PLAZO DE DOS DÍAS, A LOS ÁNGELES. ALÓJESE EN EL LAKE HOTEL.

Y CLARO...

SI USTED O YO ANUNCIAMOS PÚBLICAMENTE EL SECUESTRO DE LA CHICA...

?!

Y SI OTRA VEZ SE NOS MUERE EL REHÉN, NO LLEGAREMOS A NINGUNA PARTE CON EL INTERCAMBIO, ¿NO CREE?

EN FIN... AHORA HAY UN EQUILIBRIO PRECARIO QUE GARANTIZA QUE NO MORIRÁ PORQUE EL SECRETO NO SALDRÁ DE ENTRE NOSOTROS.

...Y DECIMOS QUE EL SECUESTRADOR EXIGE "INTERCAMBIARLA POR LA LIBRETA", MORIRÁ DE BUENAS A PRIMERAS...

BI BI BI

TU TU TU

MUY BIEN, MUY BIEN. ENSEGUIDA LE MANDO UNA FOTO VÍA E-MAIL.

CUC

QU... ¡¿QUÉ ESTÁS DICIENDO?! ¡YO SÓLO QUIERO SABER SI MI HIJA ESTÁ A SALVO! ¡ES MI CONDICIÓN PARA LLEGAR A UN ACUERDO!

25

¡¡SAYU!!

SUPONGO QUE SABÍAN QUE TRATARÍAMOS DE LOCALIZAR LA LLAMADA.

VICEDIRECTOR, HEMOS PODIDO CONCRETAR LA BÚSQUEDA HASTA EL DISTRITO 5 DE L.A.

EL PROGRAMA QUE SE PUEDE VER EN EL TELEVISOR QUE TIENE DETRÁS SE ESTÁ EMITIENDO EN ESTOS MOMENTOS ALLÍ. LO HAN HECHO EXPRESAMENTE PARA HACERNOS SABER QUE SE ENCUENTRA A SALVO.

ME... MENOS MAL... AL MENOS SABEMOS QUE ESTÁ VIVA...

¡¡VOY COMO VICEDIRECTOR DE LA POLICÍA, ASÍ COMO PADRE DE SAYU YAGAMI!! TOMARÉ TODAS LAS DECISIONES Y ASUMIRÉ TODA LA RESPONSABILIDAD.

ME VOY A LOS ÁNGELES CON LA LIBRETA.

DEATH NOTE
How to use it
XLII

° The use of the DEATH NOTE in the human world sometimes affects other human's lives or shortens their original life-span, even though their names are not actually written in the DEATH NOTE itself. In these cases, no matter the cause, the god of death sees only the original life-span and not the shortened life-span.

El hecho de que exista un Cuaderno de Muerte en el mundo humano puede afectar a las vidas de algunos humanos o, incluso, provocar su muerte antes de lo previsto inicialmente, aunque su nombre no sea escrito en las páginas del mismo. Sea cual sea el motivo de la muerte, en estos casos, los ojos de los shinigami captarán la esperanza de vida original y no la reducida.

¡VOY COMO VICEDIRECTOR DE LA POLICÍA, ASÍ COMO PADRE DE SAYU YAGAMI!!! TOMARÉ TODAS LAS DECISIONES Y ASUMIRÉ TODA LA RESPON- SABILIDAD.

ME VOY A LOS ÁNGELES CON LA LIBRETA.

PAGE.63 OBJETIVO

NO, CREO QUE LIGHT QUIE- RE DECIR QUE, CON EL LUGAR YA DESIGNADO, ES MÁS FÁCIL PENSAR UNA ESTRATEGIA.

LE HAN INDICADO INCLUSO EL HOTEL. HACERLE ACUDIR ALLÍ POR LAS BUENAS ES EXACTAMENTE LO QUE QUIEREN.

PAPÁ, PRIMERO TENDRÍAMOS QUE PENSAR UNA ESTRA- TEGIA.

PERO DEBO ESTAR EN L.A. EN DOS DÍAS. NO HAY TIEMPO...

EXACTO, VICEDI- RECTOR.

IDE... ES VERDAD... RECONOZCO QUE TIENES RAZÓN, PERO...

PERO ES PELIGROSO... HAY MUCHAS PROBABILIDADES DE QUE, SI ENTRA EN CONTACTO CON EL O LOS SECUESTRADORES, ACABEN MATÁNDOLO TANTO A ÉL COMO A SU HIJA... Y SI LE QUITAN LA LIBRETA, SERÁ TODAVÍA PEOR...

...SI HAN OBLIGADO AL DIRECTOR A REVELAR LOS NOMBRES DE LOS QUE ESTAMOS INVESTIGANDO CON L, SABEN QUE ESTAMOS MATSUDA, MOGI Y YO MISMO... Y NO SE PUEDE GARANTIZAR QUE NO DEN FINALMENTE CON FOTOS O IMÁGENES NUESTRAS SI ESCARBAN UN POCO EN DATOS ANTIGUOS...

POR MUCHO QUE LE QUITASEN LA LIBRETA, NO SABRÍAN NADA DE NOSOTROS... HACE CINCO AÑOS YA QUE LA POLICÍA NO GUARDA LOS NOMBRES REALES NI LAS FOTOGRAFÍAS DE LOS QUE TRABAJAMOS AQUÍ, PERO...

···

HAN DICHO QUE LA MATARÁN SI VEN MOVIMIENTO EN LA POLICÍA...

ES CIERTO, PERO MÁS QUE TEMER POR CAER VÍCTIMAS DEL CUADERNO, SI NOS DESCUBRIERAN Y VIERAN QUE ESTAMOS EN MARCHA, LA POBRE SAYU...

Y REITERO QUE PIENSO IR DE TODAS FORMAS.

ESO YA LO SÉ. SAYU HA SIDO SECUESTRADA, POR LO QUE, COMO MÍNIMO, SABEN QUIÉN SOY YO.

TIENES RAZÓN. SIENDO ASÍ, SÓLO LIGHT Y YO MISMO PODEMOS MOVERNOS CON LIBERTAD...

¿PRETENDES QUE VAYA EN AVIÓN Y ENTRE EN UN HOTEL CON UN CASCO EN LA CABEZA?

PE... PERO CABE LA POSIBILIDAD, AUNQUE SEA MÍNIMA, DE QUE NO LO SEPAN... DEBERÍA ESCONDER SU ROSTRO...

ESO ES PRECISAMENTE LO QUE NO PODEMOS EXPLICAR, IDE...

VAYA... ES VERDAD...

NO, HOMBRE, PORQUE SE PENSARÁN QUE ES UN TERRORISTA O ALGO... NO LE DEJARÍAN ENTRAR, ¿NO LO VES?

PODEMOS EXPLICAR LA SITUACIÓN EN LOS LUGARES EN LOS QUE SEA NECESARIO PARA...

SÍ, SÍ.

DE MOMENTO, Y YA QUE TODO OCURRIRÁ EN L.A., HABRÍA QUE CONTACTAR CON EL FBI Y PEDIRLES AYUDA. DE HECHO, HAN SIDO ELLOS QUIENES NOS HAN PEDIDO COLABORACIÓN EN PRIMER LUGAR.

ES VERDAD, LA POLICÍA AMERICANA PUEDE MANTENER LOS ALREDEDORES DEL HOTEL VIGILADOS... HASTA VÍA SATÉLITE Y TODO...

DE MOMENTO, LO ÚNICO QUE PODEMOS HACER AHORA MISMO ES PONERLE UN LOCALIZADOR PARA PODER SABER DÓNDE SE ENCUENTRA EN TODO MOMENTO Y UN MICRO PARA PODER ESCUCHAR LO QUE DICE, VICEDIRECTOR...

¿SE LLEVARÁ LA LIBRETA DE VERDAD?

SI ME LLEVO UNA FALSA Y LO DESCUBREN, SERÁ EL FIN TANTO DE SAYU COMO MÍO.

CHICOS...

...

TAMPOCO. ¿Y SI ME CACHEAN Y LO DESCUBREN?

...MI INTENCIÓN ES ACUDIR SIN NINGÚN TIPO DE TRAMPA NI CARTÓN.

...

...ASÍ COMO EL DE LA POLICÍA ESTADOUNIDENSE... LO TOMARÉ YO... NO, LO TOMARÁ L.

DE ACUERDO, PAPÁ... EL MANDO DE LA POLICÍA JAPONESA... MEJOR DICHO, DE LOS QUE ESTAMOS AQUÍ...

POR SI ACASO, IDE, QUE ES EL MENOS CONOCIDO DE TODOS, IRÁ CON MI PADRE.

Y LO MISMO CON AIZAWA Y LOS DEMÁS, AUNQUE TENDREMOS QUE IR EN AVIONES DISTINTOS...

EN LAS BASES DE DATOS, YO NO SOY MÁS QUE UN ESTUDIANTE DE POSTGRADO. ES POSIBLE QUE SEPAN QUE SOY TU HIJO, PERO NO CREO QUE ESTÉN ALERTA POR ESO. BASTARÁ CON UN DISFRAZ SIMPLE.

IRÉ EL PRIMERO A L.A. Y PREPARARÉ EL TERRENO CON LOS AMERICANOS.

HM...

¿SISTEMA DE NÚMERO COMPARTIDO?

LO QUE SÍ PODEMOS UTILIZAR ES EL SISTEMA DE NÚMERO COMPARTIDO DE MÓVIL QUE DESARROLLAMOS EN MI SECCIÓN.

PUEDE SER ÚTIL.

NO SABEMOS CÓMO SE PONDRÁ EN CONTACTO EL SECUESTRADOR CON MI PADRE UNA VEZ LLEGUE AL HOTEL, PERO POR AHORA, LA ÚNICA MANERA QUE TIENE DE CONTACTAR CON ÉL ES MEDIANTE EL MÓVIL.

ES SEGURO PORQUE NO SE HA ANUNCIADO EN NINGUNA PARTE. NOS SERÁ ÚTIL.

ES UN SISTEMA CON EL CUAL OTROS MÓVILES DESIGNADOS PUEDEN ESCUCHAR LAS LLAMADAS REALIZADAS A UN TELÉFONO.

...

MUY BIEN...

...

A MI PADRE NO LE PONDREMOS NINGÚN LOCALIZADOR NI MICRO.

YO SÓLO DIGO QUE CABE ESA POSIBILIDAD. SI FUERA ASÍ, KIRA ESTARÍA EN DISPOSICIÓN DE CONOCER DE PRIMERA MANO INFORMACIONES DE LA POLICÍA JAPONESA.

ENTONCES, ¿QUIÉN MATÓ A TAKIMURA NO FUE EL SECUESTRADOR SINO KIRA?

SOY L.

unknown number

NÚMERO DESCONOCIDO... SÓLO UNA PERSONA PUEDE HACER ESTO...

BI BI BI BI

...

...

ES L...

POR SUPUES-TO...

¿ESTÁ DISPUESTO A ECHARME UNA MANO EN EL CASO DEL ASESINATO DEL DIRECTOR DE LA JEFATURA DE POLICÍA KITAMURA?

DIRECTOR, EL VICEDIRECTOR YAGAMI ME HA INFORMADO ACERCA DE LA VISITA DE JOHN MATCKENRAW. MEJOR DICHO, DE RALLY CONNORS.

ZRUS

?!

PÁSEMELO...

...

!!

ENCANTADO DE CONOCERTE, SEGUNDO L.

...LA MUERTE DE L... ¿PERO QUIÉN...? ¿Y DE DÓNDE...?

SOMOS LA SPK, UNA NUEVA ORGANIZACIÓN FUNDADA CON EL FIN DE ATRAPAR A KIRA SIN TENER QUE APOYARNOS EN L. SIETE PERSONAS ADEMÁS DE LOS INTEGRANTES DE NUESTRA ORGANIZACIÓN CONOCEN LA MUERTE DE L.

ES INÚTIL QUE SIGAS OCULTÁNDOLO.

¿QUIÉN ERES?

¿SEGUNDO? ¿QUÉ QUIERES DECIR?

PERO ESTA
SENSACIÓN
QUE ME DA...
¿QUÉ SERÁ...?

¿N...?
¿SE
ESTÁ
CA-
CHON-
DEAN-
DO DE
MÍ?

Y YO
ESTOY EN EL
CENTRO DE
LA SPK... ME
LLAMO...
VEAMOS...
SÍ, N...

...Y CREYENDO YO
QUE ESTE CASO TIENE
POSIBILIDADES DE ACABAR
DESEMBOCANDO EN EL
ARRESTO DE KIRA, ESTOY
DISPUESTO A COLABORAR
EN LO QUE HAGA FALTA.

SIN
EMBARGO,
SIENDO EL
ASESINATO DEL
DIRECTOR DE
LA POLICÍA
JAPONESA UN
CRIMEN IMPER-
DONABLE...

HE DICHO QUE
NO QUEREMOS
APOYARNOS EN L. EN
REALIDAD, EN LOS
ESTADOS UNIDOS,
LA CIA Y EL FBI YA ME
DAN PRIORIDAD A MÍ
POR ENCIMA DE L.

¿QUÉ OCURRE, L?

N... NADA.

SE LE PARECE... MEJOR NO TENER NADA QUE VER CON ÉL... NO, IMPOSIBLE... YA ES DEMASIADO TARDE... SI AHORA DOY MARCHA ATRÁS, SOSPECHARÁ DE MÍ... DEBO REALIZAR PERFECTAMENTE EL PAPEL DE L... DEL SEGUNDO L...

¿DESEMBOCAR EN EL ARRESTO DE KIRA...? ¿DE QUÉ VA...? VA DEMASIADO SOBRADO... SI ANDA TRAS KIRA, LO QUE SERÍA DE CAJÓN SERÍA ESCONDER TODO LO POSIBLE SUS INTENCIONES...

...Y TAMBIÉN ORDENARÉ QUE VIGILEN VÍA SATÉLITE TODA LA CIUDAD... MEJOR DICHO...

ENTENDIDO. HARÉ QUE TANTOS AGENTES COMO SEA POSIBLE INVESTIGUEN DISCRETAMENTE LOS PORMENORES DEL CASO EN L.A...

¿UN INTERCAMBIO? CON EL CUADERNO, SERÁ.

EXACTO...

TRAS EL ASESINATO DEL DIRECTOR, CREEMOS QUE EL MISMO SECUESTRADOR HA SECUESTRADO A LA HIJA DEL VICEDIRECTOR YAGAMI Y QUIERE HACER UN INTERCAMBIO EN LOS ÁNGELES.

¡PERFECTO! TENEMOS EL MANDO.

PERO TAMBIÉN HA DICHO QUE EE.UU. YA NO OBEDECERÁ A L...

...

...

...L.

...ME GUSTARÍA QUE TÚ TOMARAS EL MANDO DE LA OPERACIÓN...

...

Y SIN EMBARGO, EL VERDADERO OBJETIVO DEL SPK...

POR SUPUESTO, LO PRIMERO ES EVITAR QUE HAYA VÍCTIMAS.

¿Y POR QUÉ NO? ES UNA BUENA OPORTUNIDAD DE PONER UN PIE EN LA PUERTA.

¿ESTÁS SEGURO, NEAR, DE QUE QUIERES DEJAR EL MANDO AL FALSO L, QUE NUNCA HA PERSEGUIDO A KIRA EN SERIO?

ADEMÁS... INCLUSO ME ATREVERÍA A DECIR QUE ESTARÍA BIEN QUE LA LIBRETA PASARA DE LA POLICÍA JAPONESA A OTRAS MANOS.

...ES OBTENER LA LIBRETA Y ATRAPAR A KIRA.

ESTOY MUY CONTENTO DE PODER ACERCARME A OTRO LUGAR INTERESANTE, LIGHT.

SÍ, JUSTAMENTE MISA EMPIEZA A GRABAR EN HOLLYWOOD Y APROVECHAMOS PARA IR JUNTOS PORQUE DESTACAREMOS MUCHO MENOS SIENDO UNA PAREJA. POR SUPUESTO, MISA ESTARÁ CON ALGUIEN DE LA YOSHIDA PRO Y SE ALOJARÁ EN OTRO HOTEL.

¿EEEH? ¿EN OTRO HOTEEEEL?

BUENO, IRÉ YO PRIMERO Y LO DEJARÉ TODO LISTO PARA PODERME MOVER COMO L.

AL DÍA SIGUIENTE.

PERO LIGHT, ELLA...

PERO SÍ DIJO ESO... EN FIN, AUNQUE ME LO PROHÍBA, YO LE SEGUIRÉ LO QUIERA O NO...

VENDRÁS CONMIGO PORQUE ES POSIBLE QUE ESTA VEZ TAMBIÉN NECESITE TU OJO.

¿POR QUÉ...?

LIGHT...

FINALMENTE IREMOS EL VICEDIRECTOR Y YO...

Y LUEGO YO. ME CORTARÉ EL PELO POR SI ACASO. MOGI SE QUEDARÁ DE GUARDIA EN LA CENTRAL DE JAPÓN.

BIEN, PUES YO IRÉ EN EL PRÓXIMO VUELO.

NO DIGAS TONTERÍAS.

ME DA IGUAL SI TENGO QUE DAR LA VIDA A CAMBIO... PERO TÚ... ENCÁRGATE DE SAYU...

¿á...PERO TIENES IDEA DE LO DURO QUE PODRÍA SER PARA LOS QUE DEJARÍAS ATRÁS?!

PUEDE QUE TÚ TE CONFORMES CON ESO, PAPÁ...

QUIERO QUE ME LO PROMETAS.

...DEBES ELEGIR LA POSIBILIDAD QUE NO IMPLIQUE LA MUERTE DE SAYU NI LA TUYA.

ES POSIBLE QUE LLEGUE UN MOMENTO EN EL QUE NO PODAMOS ESTAR EN CONTACTO. SI ACABAS VIÉNDOTE FORZADO A TOMAR UNA DECISIÓN POR TI SOLO...

NO PUEDES MORIR ANTE LOS OJOS DE SAYU BAJO NINGÚN CONCEPTO.

LIGHT...

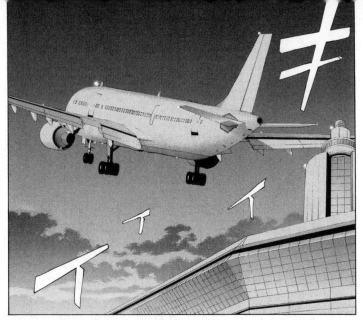

MR.
YAGAMI.

...

¿QUIÉN ERES? ¿UNO DE LOS SECUESTRADORES?

EXACTO... ESTOY AQUÍ DESDE AYER.

ES PERFECTO. SUBID LOS DOS AL SE333 EN EL ÚLTIMO SEGUNDO.

PROBABLEMENTE TENÍA LA INTENCIÓN DE IR EN EL SIGUIENTE. SI LO PERDEMOS, ENTONCES TENDRÍA QUE SER EN EL ÚLTIMO VUELO.

MO VIS236 CS. ESTÁ A TIEMPO DE SUBIR AL VUELO SE333, AUNQUE ES MUY JUSTO.

¿LE ARRESTO?

HA ENTRADO EN CONTACTO CON UN HOMBRE EN NARITA.

DE... DE ACUERDO.

IREMOS EN EL SE333; TENGO BILLETES. RÁPIDO, ES EN LA PUERTA 18.

¡MAL-DI-CIÓN!

7ッ

CÁLMATE, IDE, POR FAVOR. ARRESTAR AHORA A ESE HOMBRE NO NOS SERVIRÍA DE NADA.

NO DEBES PERDER-LES DE VISTA...

¿SABES ADÓNDE VA EL VUELO?

MANTÉN LA CALMA, IDE. SI HACES ESO Y TE DETECTAN, CORRERÁS PELIGRO.

AL SER UNA SITUACIÓN DE EMERGENCIA, PUEDO SUBIR EN CALIDAD DE AGENTE DE LA...

EL VICEDIRECTOR SE HA METIDO EN OTRO VUELO CON EL HOMBRE...

ENTONCES CONTACTARÉ VÍA E-MAIL CON ÉL...

HASTA EN EL AVIÓN... MALDITA SEA...

SÍ, EL MISMO.

PUES...

¡AH! ¡TAMBIÉN VA A LOS ÁNGELES!

¿NO ES EL AVIÓN EN EL QUE VA AIZAWA?

PÓNGASE ESTE TERMINAL EN LA OREJA... ES UN AURICULAR INALÁMBRICO...

EL VICEDIRECTOR... JODER... ¿QUÉ ESTÁ PASANDO AQUI..?

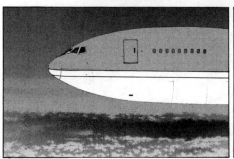

NO TENGO NINGUNA GANA DE QUITAROS LA VIDA, NI A TI NI A ELLA.

YO SOY QUIEN HA SECUESTRADO A TU HIJA.

YAGAMI, SÓLO TÚ Y EL HOMBRE QUE TIENES AL LADO PODÉIS ESCUCHAR MI VOZ AHORA. ESCUCHA BIEN.

SIN EMBARGO, SI TRATÁIS DE IMPEDÍRMELO, ME VERÉ OBLIGADO A ESTRELLAR EL AVIÓN CONTRA EL MAR CON TODOS LOS PASAJEROS A BORDO.

ESTO NO ES NINGÚN SECUESTRO. SIMPLEMENTE SE TRATA DE DESVIARNOS UN POCO Y DEJAR A UN PASAJERO EN OTRO LUGAR. PODÉIS SEGUIR NUESTRO RASTRO CON LOS RADARES, NO HAY NINGÚN PROBLEMA.

ゴ

オ

CLIC

CLIC

QU... ¿QUÉ ESTÁ PASANDO AQUÍ...?

...

PAGE.64 ÁNGULO RECTO

JODER... ¿EL TIPO QUE HA SUBIDO CON MI PADRE HA SECUESTRADO EL AVIÓN...? ¿ADÓNDE LE LLEVAN...? ASÍ NO TIENE SENTIDO HABERME ADELANTADO A MI PADRE VINIENDO AQUÍ.

¿ME ESTÁS ESCUCHANDO, L...?

SE VE QUE QUIEREN DEJAR A UN PASAJERO EN OTRO LUGAR... SEGURAMENTE SERÁ EL VICEDIRECTOR...

LIGHT, QUIERO DECIR, L. EL AVIÓN DEL VICEDIRECTOR NO SE DIRIGE A LOS ÁNGELES.

UN MAIL DE AIZAWA, QUE ESTÁ EN ESE AVIÓN...

¿NINGÚN MOVIMIENTO...?

Los asientos del vicedirector y del hombre que ha subido con él son el 44-G y el 44-H. Por suerte, yo estoy en el 37-B y puedo verles. Ninguno de los dos ha hecho ningún movimiento.

EL AVIÓN SE HA DESVIADO DE SU RUMBO. ¿NO HA SIDO EL HOMBRE QUE IBA CON MI PADRE EL QUE LO HA SECUESTRADO? PRETENDEN DEJAR AL VICEDIRECTOR YAGAMI EN ALGÚN LUGAR. NO LES QUITES LA VISTA DE ENCIMA Y OBSERVA TAMBIÉN LO QUE OCURRE ALREDEDOR.

BI BI BI

¿TANTO ES SU PODER COMO PARA LLEGAR HASTA GENTE ASÍ...?

EL CAPITÁN ES UN VETERANO CON MÁS DE 15 AÑOS DE EXPERIEN- CIA... Y TAMPOCO PARECE PROBLE- MÁTICO EL SE- GUNDO...

Están los dos sentados tranquilamente. Si ha habido un secuestro, tiene que haber sido otro. Pero no se observa nada raro en la cabina de pasajeros.

PERO INVESTIGUÉ A TODAS LAS TRIPULACIONES DE LOS VUELOS DEL DÍA 13 Y NO HABÍA NADIE SOSPECHOSO. TAMPOCO HA HABIDO CAMBIOS DE ÚLTIMA HORA...

ES DECIR, QUE EL PILOTO TIENE QUE SER UNO DE LOS SUYOS...

MALDITA SEA. YO ACABO DE LLEGAR A LOS ÀNGELES Y NO ESTOY EN SITUA- CIÓN DE PODER DAR INDICACIONES A LOS CUERPOS POLI- CIALES DE TODO EL MUNDO EN MI PAPEL DE L...

¿EH?

¡TÚ CÁLLATE Y HAZ LO QUE TE HE DICHO QUE HAGAS!

L... LIGHT, ¿QUÉ TE PASA? ¿ESTÁS BIEN? ESTÁS UN POCO PÁLIDO...

LA TOMA CON ELLA

¡¡QUE HAGAS LO QUE TE HE DICHO!!

...

S... SÍ... ¿EH? ¿ENEMI- GOS...?

TIENES QUE SEGUIR HACIENDO LAS PURGAS DE JAPÓN COMO ES DEBIDO. ¡SUPONGO QUE EN- TIENDES QUE RELAJARSE AHO- RA EN ESE ASUNTO PUEDE SER ESPECIALMENTE FATAL! SABES QUE NUESTROS ENEMIGOS ESTÁN INVESTIGANDO A KIRA CON GRAN CELO Y CUALQUIER PRECAUCIÓN ES POCA.

DIRECTOR, SOY L. PÓNGAME CON N...

OK.

NO ME QUEDA OTRA.

¡MIER-DA...!

BIP BIP

¿PERO QUÉ ESTÁ HACIEN-DO L? ESTÁ PERDIENDO LOS PAPE-LES...

...

N, CREO QUE LA SITUACIÓN HA CAMBIADO. ¿PUEDO ENCARGARTE QUE PIDAS A LA COMPAÑÍA AÉREA, LA POLICÍA Y AL EJÉRCITO QUE TODAVÍA NO HAGAN NADA?

...

SI HAY ALGO MÁS QUE PUEDA HACER, DAME INS-TRUCCIO-NES.

DE ACUERDO... L... AVERI-GUAREMOS EL PUNTO DE ATERRIZAJE... Y OBSERVA-REMOS LOS ALREDEDO-RES VÍA SATÉLITE...

MISA, AVERIGUA SU NOMBRE CON EL OJO DE SHINIGAMI.

MÁNDAME ESAS IMÁGENES INMEDIATAMENTE.

SÍ.

L, INVESTIGANDO LOS REGISTROS DE LAS CÁMARAS DE VIGILANCIA DEL AEROPUERTO DE NARITA, HE ENCONTRADO IMÁGENES DEL HOMBRE QUE HA SUBIDO AL AVIÓN CON EL VICE-DIRECTOR.

SE LLAMA ZAKK IRIUS.

SÍ QUE HA SACADO RÁPIDO EL NOMBRE.

...

N, HEMOS AVERIGUADO LA IDENTIDAD DEL HOMBRE QUE HA SUBIDO AL AVIÓN CON EL VICEDIRECTOR YAGAMI. SE LLAMA ZAKK IRIUS. A VER QUÉ PUEDES AVERIGUAR SOBRE ÉL Y SOBRE LA TRIPULACIÓN.

!

ESCÚCHAME BIEN, YAGAMI. ANTES DE LLEGAR A L.A., ESE AVIÓN SE ACERCARÁ A OTRO LUGAR.

MIENTRAS NO HAGAS NINGÚN MOVIMIENTO FUERA DE LO NORMAL, TE GARANTIZO QUE VUESTRAS VIDAS ESTARÁN A SALVO. DEL MISMO MODO, LOS DEMÁS PASAJEROS LLEGARÁN SIN CONTRATIEMPOS A LOS ÁNGELES; CON UN POCO DE RETRASO, PERO SANOS Y SALVOS.

SÓLO TÚ BAJARÁS ALLÍ Y HAREMOS EL INTERCAMBIO CON LA LIBRETA.

!

EL LUGAR EN EL QUE ESTÁ TU HIJA.

HEMOS FINGIDO UTILIZAR LA MUERTE DE TAKIMURA PARA NUESTROS PROPÓSITOS, PERO NO LO MATAMOS NOSOTROS. POSIBLEMENTE FUE KIRA. SIN EMBARGO, SI OS MATÁRAMOS A TI Y A TU HIJA, ESO PODRÍA PONERNOS EN EL PUNTO DE MIRA DE KIRA.

LA PRIMERA ES QUE NO QUIERO PEDIR EL OJO DE SHINIGAMI...

EXISTEN DOS RAZONES POR LAS QUE PUEDO GARANTIZAR QUE TANTO TÚ COMO TU HIJA ESTARÉIS A SALVO.

...EL ANSIA DE VENGANZA ES ALGO QUE NO CONVIENE FOMENTAR.

AUNQUE EL CUERPO POLICIAL JAPONÉS SEA INOPERANTE...

LA SEGUNDA RAZÓN ES QUE NO QUEREMOS MAS MALOS ROLLOS CON LA POLICIA JAPONESA. SI A LA MUERTE DE TAKIMURA SE SUMARAN LAS DE VOSOTROS DOS, SÓLO CONSEGUIRIAMOS PROVOCAR A LA POLICIA PARA QUE SE ESMERARA MAS SI CABE Y EN REALIDAD NO GANARIAMOS NADA.

¿SABE QUE NO ESTOY ACTUANDO SOLO...?

YAGAMI... PONTE EN CONTACTO CON L.

SUPONGO QUE ESTO ES MUCHO MÁS CONVINCENTE QUE CUALQUIER OTRA COSA QUE TE PUEDA DECIR.

...

PARA NUESTRA PROPIA SEGURIDAD, NOS CONVIENE QUE ESTÉIS A SALVO.

AHORA MISMO, NADIE EN TODA LA JEFATURA SABE QUE ESTAMOS EN PLENA OPERACIÓN... NO PUEDO DEJAR QUE SE SEPA QUE YO HE BAJADO DEL AVIÓN...

ES CIERTO... SI CONSIDERAMOS QUE MATÓ AL DIRECTOR POR LO DE LA LIBRETA... ES BIEN POSIBLE QUE...

DILE QUE RESTRINJA TODAS LAS INFORMACIONES ACERCA DEL VUELO SE333. SI LOS MEDIOS DE COMUNICACIÓN DICEN QUE TÚ HAS BAJADO SOLO DEL AVIÓN, EXISTE LA POSIBILIDAD DE QUE KIRA DECIDA MATARTE.

ESTOY SEGURO DE QUE TIENES POSIBILIDADES DE CONTACTAR CON L, SEA DIRECTAMENTE O A TRAVÉS DE ALGUNO DE TUS HOMBRES. ME DA IGUAL CÓMO LO HAGAS.

DEBO CONFIAR EN LIGHT Y LOS DEMÁS... ÉL MISMO ME DIJO QUE DEBÍA PRIORIZAR LA VIDA DE SAYU Y LA MÍA PROPIA...

A ESTE AVIÓN PUEDEN RASTREARLO, ESO SEGURO... LO ÚNICO QUE PUEDO HACER AHORA ES OBEDECER Y GANAR TANTO TIEMPO COMO SEA POSIBLE PARA QUE PUEDAN ORGANIZAR ALGÚN TIPO DE OPERACIÓN EN EL LUGAR EN EL QUE SE REALIZARA EL INTERCAMBIO...

CUANDO HAYAMOS PODIDO COMPROBAR QUE LA RESTRICCIÓN INFORMATIVA ESTÁ EN MARCHA, TE MOSTRARÉ A TU HIJA EN TIEMPO REAL.

Indica a todos los organismos pertinentes de que no hagan pública ninguna información acerca de este aparato. Es una exigencia del secuestrador y yo he llegado a la misma conclusión. Necesito una respuesta una vez esté en marcha la restricción.

¿DE PAPÁ...? ¿PERO CÓMO LO HA HECHO DESDE ESE AVIÓN EN EL QUE HAY UN TIPO VIGILÁNDOLE AL LADO...?

So
receive

SÍ QUE RESPONDE RÁPIDO.

EL SECUESTRADOR ESTÁ NEGOCIANDO CON L A TRAVÉS DE MI PADRE... SI ES CAPAZ DE HACER ALGO TAN TEMERARIO, ES QUE TIENE PREVISTO TODO LO QUE OCURRIRÁ A PARTIR DE AHORA Y ADEMÁS ESTÁ BIEN PREPARADO...

VAYA...

YAGAMI, VOY A CUMPLIR MI PARTE DE LA PROMESA Y TE MANDARÉ UNA IMAGEN ACTUAL DE TU HIJA AL TERMINAL QUE TE HEMOS HECHO LLEGAR.

SÍ, YA LO SUPONGO... ES EVIDENTE QUE YAGAMI NUNCA HA ACTUADO SOLO...

MELLO, TIENEN QUE HABER PUESTO EN MARCHA LA RESTRICCIÓN INFORMATIVA NADA MÁS HABER RECIBIDO LA PRIMERA NOTICIA...

¡¡SAYU!!

SI QUIERES PREGUNTARLE ALGO, ESCRÍBELO EN ESE MÓVIL. NOSOTROS CONVERTIREMOS EL TEXTO EN VOZ Y LE HAREMOS LLEGAR EL MENSAJE A TU HIJA. ASÍ VERÁS QUE ESTÁ A SALVO.

NO HE TOCADO EL RELOJ DESDE QUE SALÍ DE JAPÓN. MARCA LAS 2.24 DE LA TARDE, HORA JAPONESA.

P... PERDÓNAME, PAPÁ... NO ESTUVE ATENTA Y...

TE AUTORIZAMOS A RESPONDER A LA PREGUNTA.

SAYU YAGAMI, TU PADRE TE MANDA UN MENSAJE. "VOY PARA ALLÍ, TRANQUILA. JURO QUE TE SALVARÉ. VEO QUE LLEVAS UN RELOJ DE PULSERA: DIME LA HORA QUE ES".

A TODOS LOS PASAJEROS, LES HABLA EL CAPITÁN KYLE BLOCK. VAMOS A REALIZAR UN ATERRIZAJE DE EMERGENCIA.

...

HM... SAYU...

...

¿HABRÁ ALGUIEN ENFERMO? ¿O SE HABRÁ AVERIADO EL AVIÓN?

¿PERO DÓNDE ESTAMOS AHORA...? ¡YA CASI DEBERÍAMOS HABER LLEGADO!

¿EH?

¿CÓMO?

¡QUEREMOS MÁS EXPLICACIONES!

SIN EMBARGO, PUEDEN ESTAR TRANQUILOS. SIMPLEMENTE DEJAREMOS AQUÍ A UN PASAJERO Y LUEGO NOS DIRIGIREMOS DE NUEVO A LOS ÁNGELES.

MANTENGAN LA CALMA, SEÑORES... NO HAY MOTIVO PARA PREOCUPARSE...

MISTER, DEBE BAJAR AQUÍ.

HA... ¿HAN SECUES-TRADO EL AVIÓN...?

QU... ¿QUÉ PASA? ¿QUÉ SERÁ DE NOSO-TROS...?

¡PERO SI ESTAMOS EN EL DESIERTO! ¡¿VAN A DEJAR A ALGUIEN AQUÍ?!

¿EH...? PE... PERO...

YO SOY QUIEN DEBE BAJAR. DÉJEME PASAR.

ASÍ DEJARÁN DE CAUSARLES MOLESTIAS. SE LO RUEGO.

...

¿BAJAR...? ¿PERO QUIÉN...?

PERO ABANDONAR EL AVIÓN AQUÍ ES...

PAPÁ...

JU, JU... ¿QUÉ ESTÁ PASANDO? ¿VAN A HACER EL INTERCAMBIO AHÍ...?

ESTAREMOS TRANSMITIÉNDOTE PERMANENTEMENTE LO MISMO QUE VEMOS NOSOTROS.

L, EL SATÉLITE NOS MANDA IMÁGENES DEL PUNTO DE ATERRIZAJE.

AÑADE TAMBIÉN QUE EL SECUESTRADOR DICE QUE SI ALGUIEN MÁS, QUIENQUIERA QUE SEA, SE ACERCA EN UN RADIO DE TRES KILÓMETROS, OS MATARÁ A LOS DOS.

YAGAMI, PUEDES USAR TU PROPIO MÓVIL SI TE APETECE. HAZ QUE TE MANDEN UN HELICÓPTERO EN EL QUE PODAMOS COMPROBAR QUE SÓLO VA EL PILOTO, PARA QUE OS RECOJA A TI Y A TU HIJA.

SÍ. PREPARAD-LO.

SÍ, MATCKENRAW SABE PILOTAR Y ADEMÁS CONOCE A MR. YAGAMI. LE MANDAREMOS A ÉL.

N, ¿MANDAMOS ESE HELICÓPTERO?

EN UN LUGAR ASÍ, ES IMPOSIBLE ACERCARSE SIN SER DETECTADO... POR AHORA HABRÁ QUE QUEDARSE APOSTADOS EN UN PUNTO A MÁS DE TRES KILÓMETROS...

PERO ASÍ NO TIENEN MANERA DE ESCAPAR ELLOS TAMPOCO... AUNQUE...

ES EL MÓVIL DE YAGAMI.

¿QUÉ OCURRE?

BI BI BI BI BI

BI BI BI

MI PADRE ESTÁ USANDO SU PROPIO MÓVIL, POR LO QUE... PUEDE QUE...

AQUÍ L.

SOY YAGAMI.

LIGHT...

CONTESTA. PERO PONTE CON LA OREJA EN LA QUE TIENES EL AURICULAR PARA QUE PODAMOS ESCUCHARLO NOSOTROS TAMBIÉN.

PUES SÍ QUE ES OBEDIENTE EL NUEVO L...

TE LO RUEGO... LIGHT...

DE ACUERDO...

DAREMOS MÁXIMA PRIORIDAD A LAS VIDAS DE USTEDES DOS. CÉDALES LA LIBRETA SI ES NECESARIO. HEMOS MANDADO UN HELICÓPTERO TAL Y COMO HA EXIGIDO EL SECUESTRADOR. LO PILOTA EL AGENTE DEL FBI JOHN MATCKENRAW.

FRS

ABRID LA ENTRADA Y462.

ABRID.

¿LO VES, YAGAMI? ENTRA POR AHÍ.

EVIDENTEMENTE, TAMBIÉN TENÍAN PREVISTO LO DE LOS SATÉLITES... ASÍ NO PODREMOS VER LO QUE HACEN...

¡MIERDA! BAJO TIERRA...

¡¿EN EL SUBSUELO...?!

VAYA, QUÉ INTERESANTE...

TO... TODAVÍA ESTOY A TIEMPO... EN EL PEOR DE LOS CASOS, BASTA CON QUE SAYU... Y ASÍ SE ANULARÁ EL INTERCAMBIO... ¡DEBO DEJAR DE PENSAR EN ESTUPIDECES! SI SAYU MUERE AHORA, REDUCIRÁN LA LISTA DE SOSPECHOSOS DE SER KIRA A UNOS POCOS...

¿O VAS A DECIRME QUE NO TE IMPORTA QUE EL CUADERNO CAIGA EN MANOS DE VETE TÚ A SABER QUIÉN?

¿TIENES ALGÚN PLAN, L...?

HAY QUE HACER LO POSIBLE PARA NO PERDER EL RASTRO CON EL RADAR...

NO HAY NINGÚN REGISTRO QUE HABLE DE LA PRESENCIA DE ESO EN AQUEL LUGAR... SIN EMBARGO, AUNQUE LOGREN ARREBATARLE LA LIBRETA, TENDRÁ QUE UTILIZAR ALGÚN MEDIO PARA DESPLAZARSE DESDE AHÍ.

N... NO...

EN CAMBIO, EN TU ABERTURA PUEDES INTRODUCIR CÓMODAMENTE LAS DOS MANOS SI QUIERES. TENDRÍAS TODAS LAS DE GANAR SI SE PRODUJERA UN FORCEJEO.

PONDRÁS LA LIBRETA POR ESTA ABERTURA. EN MI PARTE TAMBIÉN HAY UN ORIFICIO PERO, COMO PUEDES VER, APENAS CABE UNA MANO EN ÉL. NO SIRVE PARA QUE YO PUEDA COGER EL CUADERNO.

AHORA VES QUE EL CRISTAL ESTÁ BLINDADO.

ESTE LUGAR LO UTILIZABA, HASTA HACE UNOS POCOS AÑOS, CIERTA ORGANIZACIÓN PARA REALIZAR INTERCAMBIOS DE DROGAS. AUNQUE LE HEMOS HECHO ALGUNAS MODIFICACIONES.

UNA VEZ DEJES LA LIBRETA, SOLTARÉ EL TOPE, NOS RETIRAREMOS LOS DOS UN PASO Y GIRAREMOS LOS CRISTALES 90º. ASÍ, LA LIBRETA LLEGARÁ A MI POSICIÓN Y LA CHICA A LA TUYA.

EN NUESTRAS RESPECTIVAS PAREDES IZQUIERDAS HAY SENDAS PROTUBERANCIAS QUE IMPIDEN QUE LAS PUERTAS GIREN MÁS DE 90º. UNA VEZ HAYAN GIRADO LAS PUERTAS, PUEDES BLOQUEARLAS CON TU TOPE.

UNA VEZ HAYAN GIRADO LAS COMPUERTAS, NO PODRÉ DISPARAR.

SI NO ACCEDES AL INTERCAMBIO, DISPARARÉ A TU HIJA DESDE AQUÍ.

COMO PUEDES COMPROBAR, MI SALIDA ESTÁ MUCHO MÁS ALLÁ. PARA CUANDO YO HAYA SALIDO A LA SUPERFICIE, VOSOTROS DOS YA ESTARÉIS EN EL AIRE.

TÚ Y TU HIJA SALDRÉIS POR EL PASILLO QUE TIENES JUSTO DETRÁS.

ADEMÁS, ÉL TAMBIÉN TENDRÁ QUE SALIR AL EXTERIOR PARA ESCAPAR. ASÍ PODREMOS SEGUIR LA LIBRETA... HABIENDO LLEGADO TAN LEJOS, AHORA NO TENGO OTRA QUE CONFIAR EN LIGHT Y LOS SUYOS Y SALVAR A SAYU...

RECONOZCO QUE EL PROPIO MÉTODO DEL INTERCAMBIO PARECE TOTALMENTE FIABLE... SI CONFÍO EN ELLOS, TANTO SAYU COMO YO PODREMOS SALIR DE ÉSTA...

LA CUESTIÓN ES QUE, ENTRE LO QUE HAS VISTO AQUÍ Y LO QUE HAS OÍDO EN EL INTERIOR DEL AVIÓN, CONFÍES EN NOSOTROS O NO.

EN FIN, YA TE PUEDES IMAGINAR QUE ESTO ES PARA CONVENCERTE. SI QUISIÉRAMOS MATAROS, HAY VARIAS MANERAS DE HACERLO: COLOCANDO UNA BOMBA, MEDIANTE UN FRANCOTIRADOR APOSTADO EN EL DESIERTO, ETCÉTERA.

...DE ACUERDO...

SÁCALO.

AH, CLARO. LLEVARLO EN ESE MALETÍN SERÍA ESTÚPIDO A MÁS NO PODER.

SÍ... ESTÁ METIDO EN MI AMERICANA.

ESPERO QUE LLEVES EL CUADERNO CONTIGO.

...

EL HELICÓPTERO HA LLEGADO AL PUNTO INDICADO.

YA, PERO UN KILÓMETRO MÁS ALLÁ HAY OTRO HELICÓP- TERO.

EN EL NÚMERO 3. AMPLÍALO.

Y462, EMPIEZA.

PARECE QUE NO HAY NADIE EN ÉL. SUPONGO QUE EL SE- CUESTRADOR LO UTILIZARÁ PARA DES- PLAZARSE. NO HAY QUE PERDERLO DE VISTA, N.

¡EH, EH! ¿PRETEN- DÍAS REA- LIZAR EL CAMBIO SIN DE- JARME PROBAR- LA?

¡¿PRO- BARLA...?! ¿VAS A MATAR A ALGUIEN? ESO NO PUE...

PROBARÉ LA LIBRETA. PONLA A TRAVÉS DEL CRISTAL DE TU IZQUIERDA.

¿ACASO SIGUES SIN CONFIAR EN NOSOTROS DESPUÉS DE LO QUE HEMOS HECHO PARA GANARNOS TU CONFIANZA?

¡VAMOS! ¿¡QUIERES QUE MATE A TU HIJA?!

...

TRANQUILO. LA PRUEBA SE REALIZARÁ CON ALGUIEN QUE, TARDE O TEMPRANO, IBA A SER PURGADO POR KIRA.

MATA A LA CHICA, NO HAY OTRA...

TÚ ERES IDIOTA... ¿ACASO NO HAS VENIDO CON LA INTENCIÓN DE INTERCAMBIAR LA LIBRETA POR TU HIJA...? LO QUE PASE ENTRE NOSOTROS NO SALDRÁ DE AQUÍ...

NO ES ESO... ES QUE, POR MUY CRIMINAL QUE SEA...

BIEN, ASÍ ME GUSTA. SOSTÉN BIEN LA LIBRETA POR AHORA.

CUANTO MÁS NOS DURMAMOS, MÁS RIESGO CORREREMOS. MATA A LA CHI...

MU... ¡MUY BIEN! ¡¡VALE YA!!

¡QU... ¡¿QUÉ PASA?!

¿QUÉ TE PASA? ¿ESTÁS BIEN, MILLER?

¡UGH!

¿!

...

ESTO ES LO QUE PASA SI COGES EL CABALLO DE LA ORGANIZACIÓN Y LO PASAS SIN PERMISO. ¿HA QUEDADO CLARO? ERA UN TÍO INÚTIL QUE, POR UNA VEZ EN LA VIDA, HA HECHO ALGO ÚTIL.

Y462, EL OBJETIVO HA MUERTO.

¡¡PAPÁ!!

¡¡SAYU!!

JA, JA... PARECE SER QUE LA LIBRETA ES AUTÉNTICA. BIEN, AHORA SUÉLTALA; REALIZAREMOS EL INTERCAMBIO.

ESTO INDICA CLARAMENTE QUE ÉL ES QUIEN HA REALIZADO EL INTERCAMBIO...

L, EL SECUESTRADOR VA A SUBIR AL HELICÓPTERO. LLEVA LA CARA CUBIERTA CON UNA MÁSCARA. FÍJATE BIEN.

CUANDO LOS DOS HAYAN LLEGADO A TERRITORIO SEGURO CON EL HELICÓPTERO, MANDAD AGENTES ALLÍ...

¡OH! PUES SE HAN SALVADO...

SAYU... PAPÁ...

SI ESO QUE DICES FUERA TAN FÁCIL DE HACER COMO DE DECIR... DE ACUERDO, HAREMOS LO QUE PODAMOS.

HAY QUE SEGUIR EL RASTRO DEL HELICÓPTERO DEL SECUESTRADOR HASTA QUE ATERRICE Y ARRESTARLE AHÍ. TAMBIÉN HAY QUE VIGILARLE BIEN CON EL SATÉLITE PORQUE ES POSIBLE QUE TIRE EL CUADERNO DESDE EL HELICÓPTERO O INCLUSO QUE LO PASE A OTRO VEHÍCULO EN PLENO VUELO.

TODAVÍA NO SABEMOS QUÉ PUEDE HABER... NO DEJÉIS DE SEGUIRLE CON EL RADAR.

¿EH...? ¿CÓMO...? ¡¿QUÉ OCURRE, N?!

SE ACABÓ. NOS LA HAN DADO CON QUESO, L.

¿UN MÍSIL...? HA PUESTO EL CUADERNO EN EL MÍSIL...

¡UOH!

Y ES DE LOS INDETECTABLES POR LOS RADARES.

ENTRE LA SALIDA QUE HA UTILIZADO MR. YAGAMI Y LA QUE HA USADO EL SECUESTRADOR, A UNOS 500 M DE CADA UNA DE ELLAS, HAY UN MÍSIL A PUNTO DE SER LANZADO.

PAGE.65 RESPONSABILIDAD

!

¿ESTÁS
SEGURO DE
QUE LOS
SECUESTRA-
DORES Y EL
GOBIERNO
AMERICANO
NO TIENEN
NADA QUE
VER?

N...

¿QUÉ
ESTÁS INSI-
NUANDO,
L...?

JUJU
JUJU...

UN
MISIL...
NO
PUEDE
SER...

ES DEDUCIBLE QUE EL GOBIERNO ESTADOUNIDENSE HAYA QUERIDO HACERSE CON LA LIBRETA QUE HAN DETERMINADO QUE POSEÍA LA POLICÍA JAPONESA... Y QUE TODO LO OCURRIDO HASTA AHORA HAYA SIDO UN PLAN TRAZADO DE ANTEMANO...

ES NATURAL LLEGAR A ESTA LÍNEA DE PENSAMIENTO VIENDO QUE POSEEN UN ARMA COMO ÉSA.

¿PUEDES PROBAR QUE LO QUE DICES ES CIERTO?

RECONOZCO QUE NOS GUSTARÍA TENER EL CUADERNO Y SABER QUIÉN ES KIRA. PERO TE PUEDO ASEGURAR QUE NO TENEMOS NINGUNA RELACIÓN CON EL SECUESTRO.

SINCERAMENTE, OJALÁ FUERA COMO DICES...

PERO NO LO ES.

SUPONGO QUE LO DIRIGIRÁN HACIA EL LUGAR QUE ELLOS QUIERAN... NO CREO QUE VAYAN A ATACAR NADA CON ÉL...

L, N... COMO PENSÁBAMOS, ES IMPOSIBLE SEGUIR LA TRAYECTORIA DEL MISIL CON EL RADAR. NO SE PUEDE SEGUIR NI TAMPOCO DERRIBAR.

NO PUEDO PROBARLO MÁS QUE ARRESTANDO A LOS CRIMINALES.

NUESTRA ÚNICA OPCIÓN AHORA ES SEGUIR AL HELICÓPTERO. LAS PROBABILIDADES DE QUE EL CUADERNO VAYA EN ÉL NO SON ABSOLUTAMENTE NULAS... AUNQUE, MEJOR PENSADO, SÍ LO SON PROBABLEMENTE...

ASÍ PUES, QUEDAMOS EN PAZ POR MIS ERRORES DEL PASADO.

SÍ, BIEN HECHO.

JEFE, SUPONGO QUE YA LO HA VISTO, PERO HE HECHO EXACTAMENTE LO QUE SE ME HA PEDIDO.

HAZLO.

CLARO, FALTARÍA MÁS.

ASÍ PUES, EL CUA-DERNO VA EN EL MISIL...

NO SERÁ COMPLICADO RECOGERLO SI CAE EN ALGÚN LUGAR DESIERTO...

YA...

NEAR, EL HELI-CÓPTERO HA...

ACABAMOS DE ATERRIZAR SIN CONTRATIEMPOS EN LOS ÁNGELES...

L, ESTOY EN EL VUELO SE333.

PARECE QUE EL CAPITÁN HA PERDIDO EL CONOCIMIENTO NADA MÁS ATERRIZAR... POSIBLEMENTE TAMBIÉN ÉL HAYA...

HACE OCHO MINUTOS, EL HOMBRE QUE HA SUBIDO CON EL VICEDIRECTOR HA MUERTO DE PARO CARDÍACO. LO HA ASEGURADO ASÍ UN MÉDICO QUE IBA EN EL APARATO.

¿ESTÁ USTED BIEN, VICEDIRECTOR YAGAMI?

PERO EL HELICÓPTERO HA SIDO DESTRUIDO... TODO LO QUE NOS PODÍA LLEVAR A LOS DELINCUENTES HA DESAPARECIDO... SIENDO ASÍ, TAMBIÉN MI PADRE Y SAYU VAN A... NO, SI HUBIESEN QUERIDO MATARLOS, HABRÍAN ESCRITO SUS NOMBRES EN LA LIBRETA JUNTO CON LOS DEMÁS...

UN PARO CARDÍACO... ES DECIR, QUE SUS NOMBRES HAN SIDO ESCRITOS EN EL CUADERNO... Y PARA NO INVOLUCRAR A LOS PASAJEROS, AL PILOTO LO HAN MATADO DESPUÉS DE ATERRIZAR... SÓLO EL HOMBRE QUE HABÍA HUIDO EN EL HELICÓPTERO PODÍA HABERLO ESCRITO...

ALUNQUE SI SIGO VIVO DE AHORA EN ADELANTE, YA AVANZO QUE PIENSO DIMITIR DE MI PUESTO EN LA POLICÍA...

AQUÍ YAGAMI... DE MOMENTO, SEGUIMOS VIVOS.

...

HE CEDIDO LA LIBRETA ASESINA A CAMBIO DE LA VIDA DE MI HIJA... YO... YA NO SOY DIGNO DE SER POLICÍA...

¿PERO QUÉ ESTÁ DICIENDO, VICEDIRECTOR YAGAMI?

?!

ESTO NO ES PROPIO DE USTED, VICEDIRECTOR YAGAMI

AHORA QUE MI PADRE HABÍA PODIDO ESCALAR HASTA EL PUESTO DE MÁXIMO DIRIGENTE DE LA JEFATURA... NO PUEDO PERMITÍRSELO...

LIGHT...

...

LO QUE ACABA DE DECIR ES EXACTAMENTE IGUAL QUE SI UN AGENTE A QUIEN HAN QUITADO SU ARMA REGLAMENTARIA PRESENTASE LA DIMISIÓN PRETENDIENDO QUE ASÍ SE ARREGLARA TODO.

Y NO ERA UNA SIMPLE PISTOLA, SINO UN INSTRUMENTO ASESINO MUCHO PEOR...

L... ENTIENDO CÓMO TE SIENTES, PERO... YO HE HECHO LO QUE HE HECHO SABIENDO QUE ME LA ARREBATARÍAN...

TÍPICO DE ÉL...

...

NO VOY A ESCATIMAR ESFUERZOS EN COLABORAR CON LA POLICÍA COMO UN CIVIL MÁS, PERO... NO PUEDO SEGUIR PERTENECIENDO AL CUERPO...

¿DÓNDE ESTAMOS?

EN LA LAPD. SOLICITAMOS SU COLABORACIÓN EN LAS PESQUISAS COMO CIVIL, TAL COMO USTED HA EXPRESADO, MR. YAGAMI.

SÓLO HACERLES DOS O TRES PREGUNTAS.

¿QUÉ PRETENDES HACER, N?

L, TE TOMO PRESTADOS A LOS DOS DURANTE UN RATO.

...E INSISTIR AHORA EN QUE NO LO HAGA QUEDARÍA RARO...

NO CREO QUE MI PADRE DIGA NADA QUE IMPLIQUE QUE YO SOY L...

LO DEJARÉ TODO PREPARADO PARA QUE TÚ TAMBIÉN PUEDAS ESCUCHAR LA CONVERSACIÓN. ES POSIBLE QUE PODAMOS REDUCIR EL CÍRCULO DE SOSPECHOSOS.

MUN-DO DE LOS SHINI-GAMI.

ES ARMONIA JASTIN.

トポ トポ

ÁLAMO JASTIN...

CUANDO SE LO HE DES-CRITO, ME HA COMENTADO QUE ESE CUA-DERNO FUE UNO QUE RYUK SE LLEVÓ DICIENDO QUE LO HABÍA PERDIDO ÉL...

ES QUE PERDÍ MI CUADERNO Y HE IDO A INFORMAR AL GRAN REY...

ESTOY PERDIDO SI NO ESCRIBO PRONTO UN NOMBRE EN MI CUA-DERNO...

¿QUÉ DEBERÍA HACER EN UNA SITUACIÓN COMO ÉSTA? EL GRAN REY SE HA LAVADO LAS MANOS... Y ME HA DICHO QUE TÚ ERES EL QUE MÁS SABE DE ESTOS TEMAS, JASTIN...

MR. YAGAMI, PARECE SER QUE SU HIJA NO HA VISTO LAS CARAS DE LOS SECUESTRADO-RES NI TAMPOCO HA CRUZADO MÁS QUE UNAS POCAS PALABRAS CON ELLOS.

SU VOZ ESTABA ALTERADA, NO SÉ QUÉ QUIERES QUE RECUER-DE... NO PUEDO AVENTURAR NI SIQUIERA SU EDAD...

TENGO ENTENDIDO QUE USTED HA ESTADO ESCUCHANDO LA VOZ DEL SUPUESTO CABECILLA A TRAVÉS DE UN AURICULAR INALÁMBRICO... NECESITO QUE ME CUENTE TODO LO QUE RECUERDE, CUALQUIER COSA PUEDE SERVIR.

?

MR. YAGAMI, ESPERE UN MOMENTO.

¡POR FIN HEMOS ENCON-TRADO EL MÍSIL!

SE HAN ENCONTRADO VARIAS PIEZAS DISEMINADAS A DOCE MILLAS DEL INTERIOR DE LA BAHÍA DE NUEVA YORK. CREO QUE NO HAY DUDA; YA HEMOS MANDADO A ALGUIEN PARA QUE LAS RECOJA.

CALCULANDO A PARTIR DEL MOMENTO EN EL QUE LO HAN LANZADO, TIENE QUE HABER CAÍDO HACE UNAS DOS HORAS...

...

¿L, HAS ESTADO ESCUCHANDO?

SÍ.

Y ES DIFÍCIL QUE HAYA TESTIGOS EN ALTA MAR...

AUNQUE CAIGA EL MISIL, SI HAN METIDO EL CUADERNO EN UN RECIPIENTE IRROMPIBLE Y QUE ADEMÁS FLOTE, SE PUEDE RECOGER POSTERIORMENTE DE MUCHAS MANERAS: CON UN BOTE, CON UN HIDROAVIÓN, CON UN HELICÓPTERO...

SE LO HEMOS CEDIDO SIN HABER PODIDO EVITARLO...

DEBEMOS CONSIDERAR QUE EL CUADERNO HA CAÍDO EN MANOS DE LOS CRIMINALES.

SI LO HUBIESE SABIDO TODA LA JEFATURA, KIRA HABRÍA PODIDO ACTUAR... PERO...

PARA EVITAR CEDER EL CUADERNO, MI ÚNICA OPCIÓN PASABA POR MATAR A PAPÁ Y A SAYU...

¡JO-DER!

...

ES POSIBLE QUE LA ÚNICA FORMA DE EVITARLO FUERA SACRIFICARLES A ELLOS DOS...

NO, A CUALQUIERA SE LO HABRÍAN QUITADO VIENDO LO PREPARADO QUE LO TENÍAN TODO.

¿ESTÁS INSINUANDO QUE, CONTIGO EN EL MANDO, HABRÍAS IMPEDIDO QUE LO OBTUVIERAN?

N...

AUN-QUE...

¿UN PLAN PARA RECUPERAR LA LIBRETA?

TAMBIÉN TE DIRÉ QUE TENGO UNA LIGERA IDEA DE QUIÉN PODRÍA SER EL LADRÓN Y TAMBIÉN UN PLAN PARA RECUPERAR LA LIBRETA.

...UTILICES LA INFLUENCIA CAPAZ DE MOVILIZAR A LAS POLICÍAS DEL MUNDO ENTERO QUE TE CONFIERE EL NOMBRE DE L PARA AMENAZAR A LOS LADRONES CON HACER PÚBLICOS SUS NOMBRES Y SUS CARAS.

SI CONSIGO DETERMINAR CON EXACTITUD QUIÉN LA HA ROBADO... BASTARÁ CON QUE TÚ...

POR SUPUESTO, LES ARRESTAREMOS UNA VEZ HAYAMOS RECUPERADO EL CUADERNO.

SI SUS NOMBRES Y CARAS VEN LA LUZ COMO CRIMINALES, KIRA ACABARÁ CON ELLOS... CREO QUE BASTARÁ CON DECIRLES QUE, SI NO QUIEREN QUE ESO OCURRA, DEBEN DEVOLVER LA LIBRETA... NO QUIERO ACTUAR ASÍ, PERO...

ES NECESARIO SABERLO TODO ACERCA DE ELLOS... ¿CREES QUE PODRÁS HACERLO?

PERO PARA HACER ESO, PRIMERO DEBEMOS AVERIGUAR LOS NOMBRES Y LOS ROSTROS DE LOS LÍDERES DEL GRUPO CRIMINAL... VISTO LO VISTO, TIENE QUE TRATARSE DE UNA ORGANIZACIÓN BASTANTE IMPORTANTE. PUEDEN CONSIDERAR QUE CIERTOS SACRIFICIOS SON INEVITABLES MIENTRAS LA PROPIA ORGANIZACIÓN SOBREVIVA...

ENTIENDO...

· · ·

ESPERO QUE PODAMOS COLABORAR.

EN FIN... DISCULPE LA ESPERA, MR. YAGAMI. ¿HA PODIDO RECORDAR ALGO?

NO SE TRATA DE PODER HACERLO O NO.

SINO DE HACERLO.

?

POR EJEMPLO...

NO ME REFIERO A ESO. ¿HA NOTADO SI PODÍA HABER ALGUIEN A SU ALREDEDOR...? ¿ALGÚN SONIDO?

NO HA DICHO NADA ACCESORIO, NO SE LE HA ESCAPADO NADA...

RECUERDO LAS INSTRUCCIONES QUE ME HA DADO, PERO NADA QUE PUEDA SERVIR COMO PISTA...

¿HA-
BLABA
COMO SI
ESTUVIE-
SE CO-
MIENDO
ALGO?

PERO NO PUEDO DECIR MÁS APARTE DE QUE ES POSIBLE QUE ESTUVIERA COMIENDO...

ESTABA COMIENDO... ESTABA COMIENDO ALGO...

PE... PERO... SÍ QUE HE OÍDO COMO UN "CREC"... PUEDE...

PU... PUES NO SABRÍA DECIRLO...

¿Y SI LE PREGUNTO SI PODRÍA TRATARSE DE UNA TABLETA DE CHOCOLATE? ¿PODRÍA PENSARSE ESTO A PARTIR DE LO QUE HA ESCUCHADO?

92

SÍ...

PODRÍA HABER ESTADO COMIENDO CHOCO-LATE... ¿ES ASÍ?

ERA VERDAD... ES CIERTO QUE TIENE MARCADO AL SECUESTRA-DOR; DE LO CONTRARIO, NO PODRÍA SABER ESTOS DETALLES...

...

ALGO ASÍ TIENE QUE...

PODRÍA HABER ESTADO COMIENDO...

RYUK.

PERO NO DEBE SABER PARA NADA QUE YO SOY KIRA Y A LA VEZ L...

DE MOMENTO TENDRÉ QUE ALIAR-ME CON ÉL...

¡¡UAGH!! ¡¡UN SHINI-GAMI!!

¡AH! ¡RYUK, ESO NO VALE! ¡AYÚDALE A ORDENAR, JO...

LIGHT, ME VOY A HACER TURISMO POR L.A.

¡EH, RYUK! ¡NO HUYAS!

AHORA NO PUEDO HABLAR CON ÉL, PORQUE CUALQUIER COSA QUE DIGA...

94

ES QUE SE HA COMPLICADO LA COSA, ¿SABES? Y NO SÉ DÓNDE ESTÁ...

NO SEAS IRRES-PONSA-BLE.

DEVUÉL-VEME MI CUA-DERNO.

AH... MIERDA, TENÍA QUE PASAR...

NO PUEDO DECIRLE NADA A LIGHT ACERCA DE ESTE TIO...

...

DEATH NOTE
How to Use It
XLIII

- If a DEATH NOTE is owned in the human world against the god of death's will, that god of death is permitted to stay in the human world in order to retrieve it.

  En el caso que un Cuaderno de Muerte haya pasado a pertenecer al mundo humano en contra de la voluntad de su legítimo propietario, se permite al shinigami en cuestión permanecer en el mundo humano con el objetivo de recuperarlo.

- In that case, if there are other DEATH NOTES in the human world, the gods of death are not allowed to reveal to humans that DEATH NOTE'S owner or its location.

  En ese caso, si otros Cuadernos existen en el mundo humano, no se debe informar a ningún humano acerca de la ubicación o del poseedor o poseedores de los mismos.

PAGE.66 MUERTOS

DEATH NOTE

¿ENTONCES ME ESTÁS DICIENDO QUE NO TIENES NI IDEA DE QUIÉN TIENE ESE CUADERNO?

SÍ.

UAU, ES IMPRESIO-NANTE.

PUES EL CUARTEL DE INVESTIGACIONES DE LA POLICÍA JAPONESA QUE LIDERA L, EL DETECTIVE MÁS CAPAZ DE TODO EL MUNDO HUMANO; LA SPK, QUE ES UNA ORGANIZACIÓN FUNDADA EN EL SENO DEL FBI AMERICANO, ETCÉTERA.

¿QUIÉNES SON TODOS?

VENGA, NO ESTÉS TAN MUSTIO, HOMBRE. QUE AHORA LO ESTÁN BUSCANDO ENTRE TODOS.

¿A QUE SÍ?

¿QUÉ PASA?

¡EH!M?

SÍ, PORQUE LOS SHINIGAMI DEBEMOS TENER UN CUADERNO CADA UNO. AUNQUE PARA QUE SEA YO EL SHINIGAMI QUE LO POSEA, PRIMERO NECESITAREMOS QUE TÚ TENGAS LA INTENCIÓN DE DEVOLVÉRMELO.

SI AVERIGUAN CUÁL ES EL HUMANO QUE LO TIENE, PODRÁS POSEERLE Y RECUPERAR EL CUADERNO, ¿NO?

PUES NI IDEA...

¿CONOCES A REM? UN SHINIGAMI HEMBRA, DE COLOR BLANCO Y TRANSLÚCIDO...

¿EH? ¿QUÉ QUIERES DECIR?

ES QUE AHORA NO SOY YO EL SHINIGAMI QUE LO POSEE...

¿DÓNDE ESTÁ, SI SE PUEDE SABER?

EN... ¿EN SERIO? PUES AHORA TENDRÉ QUE PEDIRLE A ESA TAL REM QUE ME LO DEVUELVA.

¡¿QUÉÉ?!

SE LO DI A ELLA Y LUEGO ELLA SE LO CEDIÓ A UN HUMANO.

? ES QUE HA MUERTO...

HAY QUE TOCAR EL CUADERNO Y CONVERTIRSE EN EL SHINIGAMI QUE POSEE AL HUMANO.

SI EL SHINIGAMI POSEEDOR HA MUERTO... AH... SERÁ ÉSTA: "SI EL SHINIGAMI NO ESTÁ PRESENTE"...

JASTIN ME HA COMENTADO VARIAS POSIBILIDADES, VAMOS A VER...

O BIEN PEDIRLE AL HUMANO QUE LO DEVUELVA.

POSEER AL HUMANO Y ESTAR PRESENTE EN LA ÚLTIMA HORA DEL MISMO PARA RECUPERAR EL CUADERNO ANTES DE QUE CAIGA EN MANOS AJENAS.

¡AGH, VAYA MIERDA...!

SI ME DUERMO, IGUAL ACABO MUERTO Y TODO.

ENTONCES NO PODRÉ ESCRIBIR NOMBRES HASTA ENTONCES...

PUES ESTAMOS BUENOS...

MI... MIRA, AUNQUE NO SEPAMOS DÓNDE ESTÁ, POR AHORA BASTA CON SABER LA CARA DEL QUE LO TIENE, ¿NO?

PERO LOS SHINIGAMI SÓLO PODEMOS MATAR A HUMANOS CON EL CUADERNO Y AHORA TÚ NO LO TIENES.

SÍ, CONSEGUIR UNA FOTO PARA SABER SU NOMBRE Y SU LAPSO DE VIDA RESTANTE. DESPUÉS, SERÁ FÁCIL LOCALIZARLE DESDE ALGUNO DE LOS AGUJEROS DEL MUNDO DE LOS SHINIGAMI.

SEGURAMENTE, HE DICHO...

BUENO, SI ESTÁS TODO EL RATO CONMIGO SEGURAMENTE LO CONSIGAS.

ESO ESPERO...

...

¡AH! ¡ES VERDAD! DICE QUE TIENE UNA IDEA.

N, SI TIENES ALGUNA IDEA DE QUIÉN PODRÍA SER EL CABECILLA DE LOS SECUESTRADORES, DEBERÍAS DECÍRMELO. ASÍ PODRÍA BUSCAR YO TAMBIÉN A ESE INDIVIDUO.

¿LO VES?

...

PUES VAYA...

!

L, ESO A TI NO QUIERO DECÍRTELO.

¿NO SE SUPONÍA QUE ÍBAMOS A COLABORAR?

NOSOTROS PERSEGUIREMOS AL DELINCUENTE CON NUESTROS PROPIOS MEDIOS.

TAMBIÉN HE COMENTADO QUE, UNA VEZ HAYAMOS CONSEGUIDO DETERMINAR AL CRIMINAL, BASTABA CON QUE COLABORARAS UTILIZANDO TU INFLUENCIA COMO L PARA DISTRIBUIR EL NOMBRE Y LA FOTO DEL MISMO.

NUESTRA COLABORACIÓN LA OFRECÍ PARA EL CASO DE SECUESTRO Y DIJE QUE LO DEL CUADERNO Y LO DE KIRA LO DEJARÍA PARA DESPUÉS. Y A TI TE HAN ARREBATADO LA LIBRETA SIN QUE PUDIERAS HACER NADA...

EL L ORIGINAL... DIO SU PROPIA VIDA...

¿DE QUÉ VA...?

NO TE NECESITO PARA NADA MÁS.

MENOS QUE ESO: INCLUSO PIENSO QUE, POR TU CULPA, CADA VEZ HAY MÁS PARTIDARIOS DE KIRA EN EL MUNDO.

PERO TÚ, QUE TOMASTE SU RELEVO, NO HAS HECHO NADA.

...Y CONSIGUIÓ PROBAR QUE EXISTE UN ASESINO LLAMADO KIRA, QUE SE OCULTA EN JAPÓN, E INCLUSO CONSIGUIÓ CLARIFICAR SU MÉTODO ASESINO.

Y LO MISMO CON LA POLICÍA JAPONESA. YA HAS VISTO CÓMO EL SUPUESTO LÍDER DE LA MISMA, EL VICEDIRECTOR YAGAMI, HA DICHO QUE PRESENTARÍA LA DIMISIÓN Y SE HA VUELTO A JAPÓN CON SU HIJA. NO PUEDO APOYARME EN ELLOS...

HIJO DE...

NO PUEDO ESPERAR NADA DE TI. ES ALGO QUE ME HA QUEDADO TODAVÍA MÁS CLARO DESPUÉS DE VERTE LIDIAR CON EL SECUESTRADOR.

JURO QUE RECUPERARÉ LA LIBRETA ANTES QUE ESTE CABRÓN Y ME LO CARGARÉ JUNTO CON EL SECUESTRADOR.

LO MATO.

NOSOTROS APRESAREMOS AL SECUESTRADOR CON NUESTROS PROPIOS MEDIOS. Y TAMBIÉN A KIRA.

NO... PORQUE SI CONSIGUIERAN ATRAPAR A ESE CRIMINAL ANTES QUE YO, ESO SERVIRÍA COMO PISTA PARA REDUCIR EL CERCO SOBRE KIRA...

DE MOMENTO, SÉ QUE CERCA DE ÉL SE ENCUENTRA EL DIRECTOR DEL FBI Y QUE A SUS ÓRDENES SE ENCUENTRA EL AGENTE RALLY CONNORS, TAMBIÉN DEL FBI!... ¿NO PODRÍA MANIPULAR A ESTOS DOS CON EL CUADERNO DE MUERTE PARA CONSEGUIR DATOS SOBRE ÉL? CUALQUIER ASESINATO QUE SE COMETA AHORA PUEDE SER INTERPRETADO COMO OBRA DE KIRA O DEL SECUESTRADOR...

VER CÓMO UTILIZAN EL CUADERNO Y CUÁLES SON SUS PRÓXIMAS ACCIONES...

POR EL MOMENTO, DEBO OBSERVAR DURANTE UNA TEMPORADA LOS MOVIMIENTOS DE LOS CRIMINALES...

...TODAVÍA HAY MUCHAS PERSONAS A LAS QUE PUEDO MANEJAR DESDE MI POSICIÓN DE L... DEBO EVITAR TOMAR PARTE DIRECTAMENTE EN LA MEDIDA DE LO POSIBLE...

ME DA RABIA, PERO NO DEBO DEJARME LLEVAR POR LA IRA... CON L ME DEJÉ DOMINAR DEMASIADO POR LOS SENTIMIENTOS Y ESO ES LO QUE PROVOCÓ QUE ME FUERA ACORRALANDO HASTA LÍMITES INSOSPECHADOS...

¡UGH!

PAF

?!

¡¿OS LA HAN JUGA-DO?!

CRISH CRISH
CRISH
CRISH NOS LA HAN JUGADO.
CRISH
CRISH
CRISH

¿QUÉ OCURRE, N? ¡HE ESCU-CHADO UN DISPARO!

LOS MIEMBROS DE LA SPK QUE SE ENCUENTRAN AQUÍ... MEJOR DICHO, SEGURA-MENTE LA PRÁC-TICA TOTALIDAD DE LOS MIEMBROS DE LA SPK... HAN SIDO ASE-SINADOS.

POR ESO SON LA HOSTIA DE INTERESANTES...

QUÉ MIEDO DAN LOS HUMANOS... ASÍ NO SE USAN LOS CUADERNOS, ¿NO?

SUPONGO QUE, UNA VEZ OBTENIDO EL CUADERNO, HA PREFERIDO EVITAR QUE PUDIÉRAMOS LLEGAR HASTA ÉL SI DESCUBRIÉRAMOS AL ESPÍA ANTES QUE TRATAR DE OBTENER MÁS INFORMACIÓN DE NOSOTROS.

TENÍA UNA LEVE SOSPECHA DE QUE PODRÍA HABER UN TOPO QUE PODRÍA HABERNOS DELATADO A LOS SECUESTRADORES.

...

JA, JA... AHORA TE JODES...

NO, TAMBIÉN LOS HAY DE QUIENES EL ESPÍA NO CONSIGUIÓ OBTENER INFORMACIÓN DEBIDO A QUE SUS CURRÍCULUMS ESTABAN ALTERADOS.

...

N... ¿HAN MATADO A TODOS EXCEPTO A TI?

PENSABA DESCUBRIR AL TOPO Y EMPEZAR DESDE ALLÍ A SEGUIR LA PISTA, PERO... NOS LA HAN JUGADO ANTES DE QUE PUDIERA HACERLO.

N...

AHORA MISMO, HAY VARIOS SUPERVIVIENTES... NO QUIERO DECIR CUÁNTOS, PERO NO SOMOS MUCHOS...

EN REALIDAD, ESTABA MENTALIZA-DO HASTA CIERTO PUNTO DE LO QUE PODRÍA PASAR DES-DE EL MOMENTO EN EL QUE TE HAN QUITADO A TI LA LI-BRETA, PERO SIGUE PARECIÉNDOME UNA LÁSTIMA.

TIENES RAZÓN...

AHORA MISMO, SÓLO HAS CONSEGUIDO SACRIFICAR A VARIAS PERSONAS INOCENTES. Y, CON ESTE PLAN, TE SERÁ COMPLICADO OBTENER MÁS REFUER-ZOS EN FORMA DE AGENTES.

ANTES ME HA DADO LA SENSACIÓN DE QUE DECÍAS COSAS MUY ARROGANTES, PERO ASÍ ES EL CUA-DERNO ASESINO.

NO TE PIDO QUE TRABAJES A LAS ÓRDENES DE L, NI TAMPOCO QUE UNAMOS A NUESTRAS RESPECTIVAS DOTACIONES DE AGENTES.

ECHÁNDONOS MUTUAMENTE LAS CULPAS NO GANAREMOS NADA...

...

...PARA RECUPERAR EL CUADER-NO CUANTO ANTES Y LUEGO ARRESTAR A KIRA.

SINO QUE COM-PARTAMOS LA INFOR-MACIÓN QUE TENEMOS...

Y YO SÉ BASTANTES COSAS ACERCA DEL CUADERNO.

TÚ TIENES UNA IDEA DE QUIÉN PODRÍA SER EL SECUESTRADOR.

¿COMPARTIR LA INFORMACIÓN...?

...

EL SOLO HECHO DE CONOCERLAS TE AYUDARÁ A AVANZAR EN LA INVESTIGACIÓN.

HAY VARIAS NORMAS Y CONDICIONES PARA MATAR A PERSONAS CON ESA LIBRETA.

SI LE DIJERA LO DE MELLO, INCLUSO ESTE L PODRÍA LLEGAR LUEGO HASTA MÍ A TRAVÉS DEL ORFANATO...

...

NEAR...

NO, PORQUE AUNQUE KIRA LLEGARA A SABER DE MI EXISTENCIA, NO TIENE NINGUNA FOTO NI TAMPOCO CONOCE MI NOMBRE. ADEMÁS, PERMITIR QUE SE ACERQUE PODRÍA SER...

Y DE LA LA POLICÍA JAPONESA... Y DE LA POLICÍA A KIRA...

¿¿SE HACE LLAMAR?! MELLO...

EL INDIVIDUO QUE SOSPECHO PODRÍA ESTAR DE ESTO SE HACE LLAMAR MELLO.

¡OH!

DE ACUERDO, SEGUNDO L. INTERCAMBIEMOS INFORMACIÓN.

...

...ES EL QUE FUNDÓ WATARI...

¿WAMMY'S HOUSE?

NO TENGO NINGUNA FOTO SUYA NI TAMPOCO SÉ SU NOMBRE REAL. LO ÚNICO QUE SÉ ES QUE HASTA HACE CUATRO AÑOS VIVIÓ EN UN ORFANATO INGLÉS LLAMADO WAMMY'S HOUSE, SITUADO EN WINCHESTER.

SI CONSIDERAMOS QUE ESTÁN MATANDO A AQUELLOS CON POSIBILIDADES DE TENER CONEXIONES CON ELLOS, ENTONCES DEBEMOS PENSAR QUE ESTAMOS ANTE UNA ORGANIZACIÓN DE TIPO MAFIOSO...

SÓLO CON LO QUE HEMOS AVERIGUADO HASTA AHORA, SABEMOS QUE ESTÁN ELIMINANDO SIN PARAR A MORRALLA DE LA MAFIA EN CHICAGO, NUEVA YORK, LOS ÁNGELES, MIAMI...

DOS DÍAS DESPUÉS.

¿QUÉ TAL, AIZAWA Y MATSUDA?

EL SUCESOR DE L...

!

ME HA DADO LA SENSACIÓN DE SER UNA INSTITUCIÓN EN LA QUE SE REÚNEN NIÑOS BRILLANTES CON EL OBJETIVO DE EDUCAR AL SUCESOR DE L...

ESO NO ES UN SIMPLE ORFANATO...

AL FORMAR A POSIBLES SUCESORES DE L, TODOS LOS QUE ESTÁN ALLÍ, INCLUIDO ROGER, SE LLAMAN ENTRE ELLOS CON APODOS. NADIE SABE EL NOMBRE REAL DE LOS DEMÁS. ALLÍ SE ESTUDIA LO NORMAL, POR SUPUESTO, PERO TAMBIÉN HAY CLASES PARTICULARES ESPECÍFICAS CON UN NIVEL ALTÍSIMO.

EL RESPONSABLE DE LA INSTITU-CIÓN, UN TAL ROGER, NOS LO HA CONTADO TODO PUESTO QUE, SEGÚN ÉL, "AHORA QUE NO ESTÁN NI L NI WATARI YA NO IMPORTA".

NEAR... ¿ES N...?

¡NEAR...!

SE VE QUE EL MEJOR DE ELLOS EN TODOS LOS ASPECTOS ERA UN CHA-VAL LLAMADO NEAR.

AL PARECER, ESTABA TODO ORGANIZADO PARA QUE LA NOTICIA DE LA MUERTE DE L LLEGARA HASTA ROGER. ÉL QUISO TRASPASAR LA AUTORIDAD DE L A NEAR Y MELLO, PERO...

Y LUEGO, EL TAL MELLO AL QUE SE REFIRIÓ N ESTABA JUSTO POR DETRÁS DE NEAR.

NEAR COMO SUCESOR DE L... NO HAY DUDA... ES EL N QUE LIDERA LA SPK...

...

MELLO LE CEDIÓ EL PUESTO A NEAR Y SE MARCHÓ...

SIENDO ASÍ, LOS DOS PERSIGUEN A KIRA...

PERO... MELLO TAMBIÉN ASPIRABA A SUCEDER A L... SIENDO ASÍ, ES POSIBLE QUE QUISIERA SUPERAR A NEAR Y CONSEGUIR EL CUADERNO ANTES QUE ÉL, FUERA DE LA MANERA QUE FUERA... EL "MELLO" AL QUE SE REFIRIÓ N ES MÁS QUE "UN POSIBLE SOSPECHOSO": TIENE QUE SER ÉL POR FUERZA.

HIZO RETRATOS DE LOS DOS... Y, AL ENSEÑÁRSELOS A ROGER, HA DICHO QUE LOS HA SACADO CLAVADOS...

HABÍA UNA NIÑA CON GRAN TALENTO PARA LA PINTURA LLAMADA LINDA QUE AHORA ES UNA PINTORA BASTANTE FAMOSA.

TANTO MELLO COMO NEAR ABANDONARON EL ORFANATO HACE CUATRO AÑOS Y AHORA NADIE SABE DÓNDE ESTÁN, NI TAMPOCO EXISTEN FOTOS DE ELLOS. SIN EMBARGO...

ASÍ QUE SIGO LU-CHANDO CONTRA ÉL...

¿EL SUCE-SOR DE L, DI-CE...?

NO PUEDO CONTE-NER EL TEM-BLOR.

L...

NEAR... ME-LLO...

DEATH NOTE
How to use it
XLIV

- If the DEATH NOTE that the god of death owns is taken away; by being cheated by other gods of death and so forth, it can only be retrieved from the god of death who is possessing it at the time. If there is no god of death, but a human possessing it, the only way that the god of death can retrieve it will be to first touch the DEATH NOTE and become the god of death that haunts that human.

- Then wait until that human dies to take it away before any other human touches it or whenever the human shows a will to let go of it.

En el caso de que un shinigami pierda el Cuaderno de Muerte que le pertenece legítimamente, debido a un engaño por parte de otro shinigami o cualquier otro motivo, su única opción de recuperarlo pasa por obligar a que ese otro shinigami que posee su Cuaderno se lo devuelva. En el caso de que lo tenga un ser humano y no haya ningún shinigami poseyéndolo, deberá tocar el Cuaderno para poseer así al humano y poder recuperarlo una vez muera el individuo, recogiendo el Cuaderno antes de que lo toque cualquier otra persona, o bien deberá persuadir al humano para que se lo devuelva.

POR FAVOR, SI LO ENCON-TRÁIS OS DARÉ TODAS MIS FICHAS.

MUNDO DE LOS SHINIGAMI.

BUENO, PARA SER SHIDOH, HAY QUE RECONOCER QUE YA ES MUCHO QUE SE HAYA DADO CUENTA DE QUE PARA BUSCAR A UN SER HUMANO EN CONCRETO ES MÁS RÁPIDO HACERLO DESDE EL MUNDO DE LOS SHINIGAMI.

FÍJATE, HASTA EN EL MUNDO DE LOS SHINIGAMI TENEMOS YA REPARTIDORES DE OCTA-VILLAS...

PERO ES QUE LO ÚNICO QUE SABE ES QUE NINGÚN SHINIGAMI LE ESTÁ AYUDANDO...

"ES EL HUMANO QUE TIENE MI CUADERNO. BUSCADLE, POR FAVOR..." PERO CON ESTE DIBUJO... SI FUERA UNA FOTO, SERÍA FACILÍSIMO, CLARO.

¡OH! ¡SE HA DADO CUENTA!

EMPEZARÉ POR LAS CIUDADES AMERICANAS MÁS IMPORTANTES...

PERO ESTE DIBUJO ES DE COMO ERA HACE CUATRO AÑOS...

EN FIN, VIGILARÉ TAMBIÉN LOS MOVIMIENTOS DE RYUK Y LOS SUYOS MIENTRAS LO BUSCO... ASÍ SEGURO QUE LO ENCUENTRO...

¿USAMOS EL SISTEMA DE NÚMERO COMPARTIDO?

EL LADRÓN HA LLAMADO AL MÓVIL DE MI PADRE.

CUANTO TIEMPO. VEO QUE RESPETAS TU PARTE DEL TRATO SEGÚN EL QUE TÚ DEJABAS ABIERTAS LAS LÍNEAS DE COMUNICACIÓN Y YO NO TE MATABA...

LA LIBRETA ES AUTÉNTICA; PUEDO MATAR CON ELLA.

EL VICEDIRECTOR TIENE EL ORDENADOR CONECTADO.

ÉL ES CAPAZ DE MATAR SOLAMENTE SABIENDO LA CARA.

PERO CON ELLA SOLA NO PUEDO HACER LO MISMO QUE KIRA.

LO SÉ.

¿CÓMO PUEDE KIRA SABER UN NOMBRE Y ESCRIBIRLO, TENIENDO SOLAMENTE UNA FOTO O UNA IMAGEN DE LA CARA DE SU VÍCTIMA?

No debes decirle nada. Tú simplemente insiste en que "no lo sabes". Se puede imaginar lo de los shinigamis y el trato, pero no lo tiene claro y por lo tanto no es necesario que se lo confirmes. Por mucho que ahora se conozca la existencia del Cuaderno, éste es un detalle que no debe salir a la luz.

BUENO, OTRA COSA...

¿AH, SÍ? VAYA CON EL CUARTEL GENERAL DE INVESTIGA-CIONES DE JAPÓN, QUÉ POCO ÚTILES SOIS...

PERO KIRA PUE-DE MATAR ÚNICAMENTE SABIENDO UN ROSTRO... NOSOTROS HEMOS LLEGADO A LA MISMA CONCLU-SIÓN.

ES QUE TODAVÍA NO LO SABE-MOS...

COMO SE ENTERE DE MI NOMBRE... Y SI SU INTENCIÓN ES MATAR A L... PERO SI NO RESPONDE, TANTO SAYU COMO MI PADRE VAN A...

!

SUPONGO QUE ESTO SÍ LO SABES, YAGAMI. DÍMELO SI APRECIAS LA VIDA DE TU HIJA.

¿QUIÉN ES EL INDIVIDUO AL QUE ENCUMBRASTEIS COMO L DESPUÉS DE SU MUERTE?

...

ES NORMAL, SI TENÍA UN ESPÍA ALLÍ... ¿QUÉ HACEMOS? NO PUEDE DECIRLE QUE NO SABE NADA...

¡MIERDA...! AL IGUAL QUE LA SPK, SABE QUE L ESTÁ MUERTO...

TAMPOCO, PORQUE SI LO HUBIESE HECHO, HABRÍA DESIGNADO A NEAR O A MELLO.

¿Y SI LE DECIMOS QUE L DESIGNÓ PERSONALMENTE COMO SU SUCESOR A ALGUIEN AL QUE NO CONOCEMOS?

¡¿QUÉ HACES, MAT-SUDA?!

TEC TEC

SAYU... LIGHT...

¿QUÉ PASA? VOY A MATAR A TU HIJA...

Tōta Matsuda. Es uno de mis subordinados en el cuartel de investigaciones.
Pero él es sólo un títere.

?¡

...

YA ME LO IMAGINABA: EL L DE AHORA ES DEMASIADO INO-PERANTE... EN FIN, SI AUN ASÍ ME ENTRARAN GANAS DE MATAR A L, YA TE PEDIRÍA LAS FOTOS DE TODOS LOS INTEGRANTES DEL EQUIPO, POR-QUE LOS NOMBRES YA LOS SÉ, JA, JA.

¡NI HABLAR! NUNCA ACEPTARÉ UN TRATO QUE...

ES TŌTA MATSUDA... PERO ES SIMPLEMENTE UN PORTAVOZ QUE SE LIMITA A TRANSMITIR LO QUE DECIDI-MOS EN EL CUARTEL...

...

SIGUE ENCERRADA EN SU HABITACIÓN.

¿Y SAYU?

¿AH, SÍ...?

CARIÑO.

パタン!

EN... ¿EN QUÉ...?

!

HE ESTADO PENSANDO Y...

CARIÑO...

...

ME SABE MAL, SACHIKO...

PODRÍAMOS IRNOS LEJOS... AL CAMPO, DONDE NO NOS CONOZCA NADIE... PORQUE SI NO, SAYU VA A...

SÉ QUE ESTA CASA ESTÁ PROTEGIDA POR LA POLICÍA Y QUE ESTAMOS SEGUROS, PERO...

¿QUÉ TE PASA? ¿POR QUÉ ME DAS LAS GRACIAS?

?!

GRACIAS, SACHIKO...

LO SÉ... TIENES RAZÓN... Y LIGHT LO ESTÁ LLEVANDO MUY BIEN SOLO...

SACHIKO...

MIRA, YO SEGUIRÉ EL CAMINO QUE TÚ ELIJAS.

POR MUCHO QUE TÚ...

¿QUÉ DICES, HOMBRE? ESTARÉ CONTIGO TODA LA VIDA.

PUES... PORQUE PENSABA QUE ME DIRÍAS QUE QUERÍAS EL DIVORCIO.

...

EH, QUE LO HICISTE TÚ MISMO...

¿CREÉIS QUE ME MATARÁ...?

ES LA SPK. NO HABLÉIS, POR FAVOR.

BRR

HM...

COMANDANTE RESTER, PÓNGAME CON L.

バサッ

¿ESTO ES TODO LO QUE SABES ACERCA DEL CUADERNO?

SÍ. ¿QUÉ OCURRE, N?

¿ME ESCUCHAS, L? SOY N.

LOS SHINIGAMI... EL OJO DE SHINIGAMI... EL DERECHO DE POSESIÓN... NADA DE ESTO NECESITAS SABERLO... PORQUE, TANTO EN CALIDAD DE L COMO DE KIRA, ESTO ME PONE EN UNA SITUACIÓN DE VENTAJA...

ASÍ ES...

LOS DOS SE HAN QUEDADO ATASCADOS EN CÓMO ES CAPAZ DE MATAR SABIENDO SÓLO EL ROSTRO...

ME IRRITA QUE PIENSE QUE NUESTRO CUARTEL Y L SON UNA PANDA DE INÚTILES, PERO... AHORA MISMO, ES MEJOR QUE TANTO NEAR COMO MELLO TENGAN ESTA IDEA PRECONCEBIDA...

Y NO HAY OTRA QUE DEDUCIR QUE EL KIRA ACTUAL ES CAPAZ DE HACERLO.

PERO CON ESTO NO PUEDES PONER UN NOMBRE EN LA LIBRETA SÓLO CON SABER LA CARA.

FORZANDO UN POCO LAS COSAS, ES POSIBLE QUE LA LIBRETA DE KIRA Y LA QUE TIENE ACTUALMENTE EL LADRÓN SEAN DE TIPO DISTINTO. KIRA TIENE QUE TENER UNA LIBRETA CON LA QUE PUEDE MATAR SÓLO CON CONOCER LA CARA DE SU VÍCTIMA... O INCLUSO ES POSIBLE QUE NO SEA UNA LIBRETA...

ESTE PUNTO TODAVÍA NO LO HEMOS CLARIFI- CADO.

ALGUNOS DE LOS SU- PERVIVIENTES ESTUVIERON ACTUANDO EN EL EXTERIOR. EL TOPO TUVO QUE SACAR- LES ALGUNA FOTO POR FUERZA.

ES CIERTO QUE EL LADRÓN NO PUEDE MATAR SÓLO CON LA CARA...

¿NO ME DIGAS...?

ガシャッ

ギギ

N, TENGO UNA DUDA.

...

¿CUÁL?

¿NO ES ASÍ?

N, TÚ... ERES NEAR...

Y HE AVERIGUADO QUE ESTABA EN POSICIÓN DE OPTAR AL PUESTO DE SUCESOR DE L JUNTO CONTIGO...

HE ESTADO INVESTIGANDO ACERCA DEL TAL MELLO.

LO RECONOCE COMO SI NADA... CLARO QUE, SABIENDO LO DEL ORFANATO, ES OBVIO QUE LO DESCUBRIRÍA. AHORA QUE, COMO NO SE SABE NI SU NOMBRE NI SU CARA, NO ES DEMASIADO DIFERENTE DE QUE L DIGA "YO SOY L" A TRAVÉS DEL ORDENADOR...

SÍ, YO SOY NEAR.

PERO, POR MUCHO QUE NO TENGA ESCRÚPULOS, NO ENTIENDO POR QUÉ TUVO QUE ASESINAR A LOS DE LA SPK... ASÍ ES COMO SI KIRA ESTUVIERA PERSIGUIENDO A OTRO KIRA... ¿SABES QUÉ PUEDE TENER EN MENTE?

EXACTO...

ENTONCES SE PUEDE PENSAR QUE MELLO ESTUVO DISPUTÁNDOSE EL PUESTO DE L CONTIGO Y QUE ROBÓ EL CUADERNO SIN NINGÚN ESCRÚPULO CON TAL DE ATRAPAR A KIRA.

ASÍ PUES, AHORA DEBO ATRAPAR A MELLO, EN PARTE TAMBIÉN PARA CONSEGUIR EL CUADERNO. PERO PARA ÉL, SUPONGO QUE EL HECHO DE CAER EN MIS MANOS IMPLICARÍA LA DERROTA.

CON TAL DE OBTENER LA LIBRETA, MELLO ASESINÓ AL PILOTO, AL HOMBRE QUE SUBIÓ AL AVIÓN CON MR. YAGAMI Y AL HOMBRE QUE REALIZÓ EL INTERCAMBIO. SÓLO ESTO YA LE CONVIERTE EN UN AUTÉNTICO CRIMINAL.

...

¿ENTONCES POR QUÉ MATÓ A LOS DE LA SPK Y EN CAMBIO DEJÓ VIVOS AL VICEDIRECTOR YAGAMI Y A SU HIJA, QUE PUEDEN DAR PISTAS MÁS DIRECTAS...?

...

PRIMERO PORQUE, AL IGUAL QUE YO, CONSIDERA QUE EL CUARTEL DE INVESTIGACIONES EN JAPÓN NO TIENE NINGÚN PODER.

DE HECHO, ACABA DE HACERLO...

SEGUNDO, PORQUE DEJANDO VIVO A MR. YAGAMI PUEDE HACER PALANCA CON LA VIDA DE SU HIJA PARA CONSEGUIR LA INFORMACIÓN QUE PUEDA NECESITAR...

¿MENSA-JES?

ASIMISMO, LE POSIBILITA TRANSMITIR MENSAJES A VUESTRO CUARTEL Y A NOSOTROS.

AL SER UN CONTACTO UNILATERAL QUE INICIA ÉL, ES IMPOSIBLE QUE, COMO PUEDE OCURRIR EN EL CASO DE QUE USE UN ESPÍA, HAYA FILTRACIONES DE INFORMA-CIÓN SUYA.

¿PARA QUÉ...?

PARA PROVOCARME. PARA REGO-DEARSE EN SU SENSACIÓN DE SUPERIORIDAD AL HABERME PASADO LA MANO POR LA CARA...

MELLO NO ES TAN IDIOTA COMO PARA COMETER UN ERROR COMO ÉSTE. FUE A PROPÓSITO.

POR EJEMPLO... QUE, DURANTE LAS NEGOCIACIONES, MELLO DEJÓ OÍR A MR. YAGAMI EL SONIDO DE COMER CHOCO-LATE... ESTO FUE PARA DECIRME QUE HABÍA SIDO ÉL QUIEN HABÍA ROBADO EL CUADERNO.

UN JUE-GO...

AL JUEGO DE VER CUÁL DE LOS DOS ATRAPA ANTES A KIRA, EL "ENEMIGO FINAL".

CREO QUE MELLO ESTÁ JUGANDO A UN JUEGO CONMIGO...

···

ÉL SIEMPRE DESEABA SER EL PRIMERO EN TODO...

PUEDE QUE, AL IGUAL QUE KIRA, MELLO PRETENDA TOMAR EL CONTROL DEL MUNDO.

AUNQUE LO QUE ACABO DE DECIR ES VISTO DESDE UN PRISMA OPTIMISTA.

···

¿Y CÓMO ACTUARÁ MELLO A PARTIR DE AHORA? ¿TIENES ALGUNA HIPÓTESIS?

AUNQUE, A PARTIR DE LOS ASESINATOS COMETIDOS PRESUNTAMENTE POR ÉL, PODEMOS DETERMINAR HASTA CIERTO PUNTO SU UBICACIÓN.

ES TODO LO QUE PUEDO INFERIR DEL MODO DE PENSAR DE MELLO, PERO DESDE EL MOMENTO EN QUE COMETIÓ EL PRIMER ASESINATO PODEMOS CONCLUIR QUE SU INTENCIÓN AL OBTENER EL CUADERNO NO ERA LA DE COLABORAR PARA ARRESTAR A KIRA.

¿ESTÁS DICIENDO QUE TANTO KIRA, COMO TÚ MISMO, COMO L, SOMOS TODOS ESTORBOS PARA ÉL...?

TAMBIÉN ES COMPLICADO, PERO MELLO NO TIENE ESCRÚPULOS CUANDO SE TRATA DE ALCANZAR UN OBJETIVO.

YA HEMOS ELIMINADO A PRÁCTICAMENTE A TODOS LOS QUE PODÍAN RELACIONAR CON NOSOTROS.

JEFE, TENGO AL PRESIDENTE AL TELÉFONO. ES SORPRENDENTE LO FÁCIL QUE HA SIDO.

PÁSASELO A MELLO.

¿¿...?! N... NO... TRANQUILO...

PRESIDENTE DAVID HOOPE, ¿NO HAY NADIE MÁS ESCUCHANDO ESTA LLAMADA? SI ALGUIEN SE ENTERA DE LO QUE VOY A DECIRTE, EL MUNDO ENTERO QUEDARÁ SUMIDO EN EL CAOS.

TAMBIÉN TIENES QUE SABER QUE EL VICEDIRECTOR YAGAMI DE LA JEFATURA JAPONESA DE POLICÍA CEDIÓ ESE CUADERNO A OTROS... Y ESOS OTROS SOMOS NOSOTROS.

···

SABES LO DEL CUADERNO ASESINO... Y LO DE UNA ORGANIZACIÓN LLAMADA SPK ESPECIALIZADA EN LA LUCHA CONTRA KIRA, ¿VERDAD? LA FUNDASTE TÚ, CON LO QUE TIENES QUE SABER DE QUÉ TE HABLO.

···

DE ACUERDO, SI HAY ALGUIEN A QUIEN TENGAS GANAS DE MATAR, LO HARÉ DE LA MANERA QUE TÚ ME DIGAS. VAMOS, DI.

PUEDE QUE NO ME CREAS, PERO ESTA LIBRETA ES CAPAZ DE CONTROLAR A ALGUIEN ANTES DE ASESINARLO.

¿SABES? HASTA PUEDO CONTROLAR Y MATAR A ALGUIEN CON POTESTAD PARA PULSAR EL BOTÓN NUCLEAR.

ASÍ PUES, NO TIENES MÁS REMEDIO QUE ESCUCHAR LO QUE TE VOY A DECIR.

TÚ LO HAS DICHO.

N... ¡NO DIGAS TONTERÍAS! SI HACES ESO, SE DECLARARÁ LA III GUERRA MUNDIAL Y...

¿LO CAPTAS?

...

ASÍ ME GUSTA, PRESIDENTE, QUE SEAS ÁGIL...

QU... ¿QUÉ QUIERES QUE HAGA?

DEATH NOTE
How to use it
XLV

- As long as the god of death has at least once seen a human and knows his/her name and life-span, the god of death is capable of finding that human from a hole in the world of the gods of death.

Una vez un shinigami ha visto la cara de un ser humano y ha averiguado su nombre y su esperanza de vida restante, puede localizarle en cualquier momento desde un agujero del mundo de los shinigami.

ASÍ ME GUSTA, PRESIDENTE, QUE SEAS ÁGIL...

QU... ¿QUÉ QUIERES QUE HAGA?

EXACTO. AL FIN Y AL CABO, TÚ...

¿BENE-FICIA-DOS...?

NO TENEMOS NINGUNA INTENCIÓN DE CONVERTIR A LOS ESTADOS UNIDOS EN NUESTRO ENE-MIGO. HAGAMOS UN TRATO DE MA-NERA QUE TODOS SALGAMOS BE-NEFICIADOS.

Y ANTES DE QUE TODO EL MUNDO SE ENTERE DE SU EXISTENCIA, CLARO...

...TAMBIÉN QUIERES LA LIBRETA, ¿VERDAD?

NO ES KIRA QUIEN DEBE ERIGIRSE COMO EL JUSTICIERO DEL MUNDO, QUIEN DEBE MANEJAR LA POLÍTICA INTERNACIO- NAL... ¿ESTÁS DE ACUERDO CONMIGO, PRESIDENTE?

POR ESO DISTE LUZ VERDE A LA FORMACIÓN DE LA ORGANIZA- CIÓN LLAMADA SPK, ¿NO ES ASÍ? SIN EMBARGO, UNO DE LOS CUADERNOS ESTÁ AHORA EN NUESTRO PODER, ESTANDO EL OTRO EN PO- DER DE KIRA.

N... NO DIGAS ESTUPI- DECES.

A CAMBIO...

TE LA CEDEREMOS A TI.

UNA VEZ MATEMOS A KIRA Y CONSIGAMOS SU LIBRETA...

¿QUÉ TIPO DE COLABORACIÓN...?

SI ME NIEGO, ME CONTROLARÁN Y ME MATARÁN...

...QUIERO QUE COLABORES CON NOSOTROS PARA ARREBATARLE ESE CUADERNO A KIRA Y QUE NOS GARANTICES LA AMNISTÍA. VAMOS A CONVIVIR COMO HASTA AHORA O, MEJOR DICHO, MUCHO MEJOR QUE AHORA, EN LA SOCIEDAD AMERICANA. NO ES UN MAL TRATO, ¿NO CREES?

LUEGO NECESITAREMOS FONDOS, ARMAS Y EL USO DE LOS SATÉLITES DE VIGILANCIA...

PRIMERO, QUIERO QUE NOS DIGAS TODO LO QUE SEPAS SOBRE LA SPK Y SOBRE SUS MOVIMIENTOS A PARTIR DE AHORA.

NO CREO QUE HAYAS LLEGADO A PRESIDENTE POR CASUALIDAD. ESTOY SEGURO DE QUE ALGO ASÍ PUEDES HACERLO SIN DEMASIADOS PROBLEMAS.

ESO LO SÉ PERFECTAMENTE. LO QUE TE PIDO ES QUE USES TU AUTORIDAD PRESIDENCIAL Y QUE OBTENGAS DATOS SIN QUE SOSPECHEN NADA.

...PERO ELLOS FUNCIONAN DE FORMA PARTICULAR, DE MODO QUE NO HAYA FILTRACIONES DE INFORMACIÓN FUERA DE SUS FILAS, NI SIQUIERA A MÍ...

RE... RECONOZCO QUE LA SPK ES UN EQUIPO ESPECIALIZADO EN LA LUCHA CONTRA KIRA CUYA CREACIÓN YO MISMO AUTORICÉ...

NO TIENES QUE PREOCUPARTE POR NADA.

...

NO VEO NINGÚN PROBLEMA EN HACERLO SI DICES QUE SOMOS UNOS TERRORISTAS QUE ASESINAMOS AL DIRECTOR DE LA JEFATURA DE POLICÍA JAPONESA Y QUE HAS FORMADO UN EQUIPO ALTAMENTE SECRETO PARA COMBATIRNOS.

AUNQUE PUEDA PROPORCIONAROS FONDOS, YO SOLO NO PUEDO DAROS ACCESO A ARMAS NI A LOS SATÉLITES...

¿QUÉ PODRÍA HACER...?

¡MIERDA! NO PUEDO PONER AL MUNDO EN PELIGRO... PERO...

NO TIENES DEMASIADO MARGEN DE ELECCIÓN...

SI TE NIEGAS, TU NOMBRE PASARÁ A LA HISTORIA COMO EL DEL PEOR PRESIDENTE EN LA HISTORIA DE ESTE PAÍS.

¡AH! OTRO TIPO CUYO NOMBRE NI LAPSO DE VIDA PUEDO VER...

SI NO PUEDES VERLO ES QUE YA ESTÁ MUERTO.

ESTÁ CLARO QUE ESTO DE LA MAFIA ES UN OFICIO CON ALTA MORTALIDAD, ¿EH? JA, JA...

¡UFFF! ¿CUÁNTAS FOTOS TENGO QUE VER AL DÍA...? QUE YO SOY UNA CHICA Y EL CANSANCIO SE ME PODRÍA REFLEJAR EN EL CUTIS... ¡Y ESO SERÍA FATAL...!

PERO TAMBIÉN QUIERO SERLE ÚTIL A LIGHT...

HE INFORMADO DE TODO A LA SPK.

L... NECESITO QUE ME DIGAS TODO LO QUE SEPAS ACERCA DE LA LI-BRETA DE MARRAS.

SIENDO ASÍ, DEBO DECIRLE QUE, POR LA MISMA RAZÓN, NO PUEDO SATISFA-CER SU DESEO.

ES UNA MEDIDA MUY PRU-DENTE.

ES QUE... LA SPK INSISTE EN QUE NO VA A INFORMARME DE NADA HASTA QUE LOGREN ATRAPAR A KIRA...

BUENO... PUES UNA COSA...

...

?

AH, CLARO...

¿ESCAPAR DE LA LIBRETA...?

!

¿...HAY ALGÚN MODO DE ESCAPAR A LA INFLUENCIA DE LA LIBRETA?

UTILIZANDO ESTA CARTA CON HABILIDAD, MELLO PUEDE PASARLE A NEAR LA MANO POR LA CARA...

AHORA LO ENTIENDO. MELLO TIENE COGIDO AL PRESIDENTE POR LOS HUEVOS... ES EL MÁXIMO DIGNATARIO DE LOS ESTADOS UNIDOS Y TANTO SU NOMBRE COMO SU ROSTRO SON PÚBLICAMENTE CONOCIDOS...

A MENOS QUE TU SISTEMA DE SEGURIDAD HAYA SIDO PIRATEADO, NO HAY QUE TEMER FILTRACIONES.

TE LLAMO DESDE EL DESPACHO OVAL DE LA CASA BLANCA. PUEDES IMAGINAR QUE SE HAN TOMADO MEDIDAS.

PRESIDENTE, NECESITO ASEGURARME DE ALGO. ¿ESTA LÍNEA ES SEGURA?

D

¿CUÁL DE LOS DOS LE ESTÁ EXTORSIONANDO?

ESTE L... ES TAMBIÉN UN GENIO DE LA OBSERVACIÓN...

¡...! SE HA DADO CUENTA SÓLO CON ESO...

?

DÍGAME, PRESIDENTE: ¿SE TRATA DE KIRA? ¿O BIEN DEL SECUESTRADOR?

PERO ESTO SIGNIFICARÁ EL PRINCIPIO DE TU FIN, MELLO... TE VAS A ARREPENTIR DE HABER SUBESTIMADO A L... ¡DE HABERME SUBESTIMADO A MÍ!

COMO PENSABA, ESTÁN EXTORSIONANDO AL PRESIDENTE... TAL COMO DIJO NEAR, MELLO NO SE CORTA NI UN PELO...

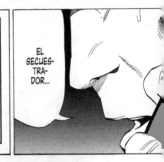

EL SECUESTRADOR...

ENTENDIDO. LE AGRADEZCO QUE HAYA OPTADO POR CONFIAR EN MÍ. CUÉNTEME LA SITUACIÓN.

Y AUNQUE LO HAGA NO PODRÁ OBLIGARLE A PULSAR EL BOTÓN NUCLEAR. PORQUE CUALQUIER ACTO QUE IMPLIQUE AFECTAR A VIDAS AJENAS PROVOCA LA MUERTE POR PARO CARDIACO.

NO SE PREOCUPE, PRESIDENTE. SIENDO ASÍ, ESTOY SEGURO DE QUE NO HA ESCRITO SU NOMBRE TODAVÍA.

ENTIENDO... ESTÁ CLARO.

¿EH? YO PENSABA QUE NO SABÍA NADA... ¡CARAMBA CON LIGHT...!

...

YA CASI SABEMOS QUIÉNES SON LOS IMPLICADOS Y DÓNDE TIENEN SU GUARIDA.

NECESITO QUE ARRESTES A LOS CRIMINALES ANTES DE QUE OCURRA ALGÚN DESASTRE.

ESTO ES UN FAROL. LO PRIMERO ES FINGIR QUE CONTROLO LA SITUACIÓN PARA MOSTRARLE QUE CONFÍO EN MIS POSIBILIDADES. VOY A HACER DEL PRESIDENTE UN ARMA.

...

NECESITO AGENTES CAPACES LEALES A *USTED*, CUYO ROSTRO NO CONOZCAN LOS CRIMINALES, POR SUPUESTO, PERO TAMPOCO LOS DE LA SPK.

PRESIDENTE, DEBO HACERLE UNA PETICIÓN CON TAL DE PODER APRESAR A LOS CRIMINALES. SIENDO UNA INVESTIGACIÓN RELACIONADA CON EL CUADERNO, NO PUEDO AGREGAR DEMASIADOS AGENTES A MI EQUIPO. PERO TAMBIÉN ES VERDAD QUE SÓLO CON AGENTES JAPONESES DESTACAMOS DEMASIADO.

¿DE CUÁNTOS HOMBRES ESTAMOS HABLANDO?

HAY CIERTA TROPA DE LAS FUERZAS ESPECIALES BASADA EN ORIENTE MEDIO... NADIE CONOCE SUS ROSTROS Y CONFÍO PLENAMENTE EN SUS CAPACIDADES...

TREINTA HOMBRES... SERÁ SUFICIENTE...

DE TRES EQUIPOS DE DIEZ HOMBRES.

HAGALO DE MODO QUE NADIE MÁS SE ENTERE, POR FAVOR.

DE ACUERDO... HARÉ LO QUE PUEDA.

PRESIDENTE, CON LA MITAD DE ELLOS ES POSIBLE HACER UNA BATIDA EN LA GUARIDA DE LOS CRIMINALES. ¿PUEDE PONERLOS A MIS ÓRDENES?

...

PRESIDENTE, LE PROMETO QUE LE SALVARÉ. NO CONFÍE EN NADIE MÁS QUE NO SEA YO, ¿ESTÁ CLARO?

MUY BIEN...

YO, AL CONTRARIO QUE LA SPK, NO PIENSO ESCONDERLE NADA. ACTUAREMOS INFORMÁNDOLE DE FORMA CONFIDENCIAL ACERCA DE TODOS NUESTROS MOVIMIENTOS. TAMBIÉN LE PIDO QUE ME INFORME PERMANENTEMENTE DE LOS MOVIMIENTOS DE LA SPK QUE PUEDA AVERIGUAR.

AHORA BASTA CON AVERIGUAR LA UBICACIÓN DE MELLO Y LOS SUYOS ANTES DE QUE NEAR CONSIGA DETERMINARLA...

¡GENIAL! AHORA ESTOY EN MEJOR POSICIÓN QUE NEAR...

ES MISA...

BI BI BI

¡¡ME HE MARCADO UN PUNTAZO!!

¡HE ENCONTRADO A UNO DEL QUE SÓLO PUEDO VER EL NOMBRE!

¡¿QUÉ DICES, LIGHT?! ¡YA LO TENGO!

MISA, LO SIENTO, PERO YA TE LLAMARÉ EN CUANTO TENGA UN RATO...

¡FANTÁSTICO! NO LAS TENÍA TODAS CONMIGO, PERO A PARTIR DE AHORA...

¡UNO CUYO NOMBRE PUEDE VER PERO NO SU LAPSO DE VIDA RESTANTE! EL PROPIETARIO ACTUAL DEL CUADERNO DE MUERTE.

PERDONAD, ES QUE NO HE HECHO MÁS QUE POSPONER UNA CITA QUE LE HABÍA PROMETIDO...

¿QUÉ OCURRE? ¿ALGO URGENTE, LIGHT?

¡¿EH?! ¡GUAY! ¡ME PONDRÉ SEXY Y TE ESPERARÉ!

¡EH?

MUY BIEN, VALE. ¿QUÉ LE VAMOS A HACER? VOY PARA ALLÁ, ¿VALE?

VOSOTROS TAMBIÉN DEBERÍAIS DESCANSAR UN POCO. TODOS NECESITAMOS UN CAMBIO DE AIRES.

HASTA LUEGO.

MIRA, YA SE VE LA LUZ AL FINAL DEL TÚNEL Y LLEVO DOS DÍAS SIN DORMIR, ¿VALE?

LIGHT... LO SIENTO, PERO UNA CITA EN UN MOMENTO COMO ÉSTE ES...

¡¡MAT-SUDA!!

¡¿EH?! AH, PERDONAD...

BUFFF... YO TAMBIÉN QUIERO TENER UNA CITA... CON UNA RUBIA DESPAMPANANTE, POR EJEMPLO...

BUENO, PONER AL PRESIDENTE DE NUESTRA PARTE HA SIDO UN BUEN MOVIMIENTO...

¡PAN!...

CONQUE NECESITAMOS DESCANSAR...

MISA.

¡¡UGH!!

105 Jack Neylon 106 Danny

108 Andrew Millar 109 Beck

¿CUÁL ES?

NO PUEDO VER SU ESPERANZA DE VIDA, POR LO QUE POR FUERZA TIENE QUE SER ÉL EL PROPIETARIO ACTUAL DEL CUADERNO.

PONE QUE SE LLAMA JACK NEYLON, PERO EN REALIDAD SE LLAMA KAL SNYDAR.

PUES... EL 105...

POR MUCHO QUE CAMBIARA EN CUATRO AÑOS, NUNCA PODRÍA CAMBIAR TANTO.

SE MIRE COMO SE MIRE, NO ES MELLO.

YO EN SU DÍA RENUNCIÉ CLARAMENTE A MIS DERECHOS SOBRE ESE CUADERNO, Y MI PADRE LO CEDIÓ A LOS CRIMINALES CON LA FIRME INTENCIÓN DE "DESHACERSE DE ÉL". ES DECIR, QUE EN ESE MOMENTO LA PROPIEDAD DEL MISMO PASÓ DE MI PADRE AL OTRO.

SIN EMBARGO, ÉSE MURIÓ EN LA EXPLOSIÓN DEL HELICÓPTERO Y ESOS DERECHOS PASARON AL SIGUIENTE QUE RECOGIÓ LA LIBRETA... Y SI ESE HOMBRE MURIERA A SU VEZ, SU PROPIEDAD PASARÍA AL SIGUIENTE, Y ASÍ.

HAY MUCHAS POSIBILIDADES DE QUE ESTÉ MUY CERCA DE MELLO.

¿EH? ¿QUÉ QUIERES DECIR? ¿Y QUIÉN ES ESE MELLO...?

LOS QUE TE PASÉ SON TODOS LOS DATOS ACERCA DE LA MAFIA CON LOS QUE CUENTA EL FBI... SI CONSEGUIMOS LOCALIZAR A ESTE TIPO, LLEGAREMOS SIN FALTA A LA LIBRETA.

Y, SIENDO QUE TODAVÍA ESTÁ VIVO, HAY ALTAS PROBABILIDADES DE QUE ESTÉ SITUADO CERCA DE MELLO. VISTO CÓMO ACTÚAN, SI FUESE UN SIMPLE TRANSPORTADOR YA LO HABRÍAN BORRADO DEL MAPA.

EL HECHO DE QUE LA POSESIÓN ESTÉ EN MANOS DE ESTE HOMBRE IMPLICA QUE ES ÉL EL ENCARGADO DE ESCRIBIR LOS NOMBRES EN LAS PÁGINAS DEL CUADERNO O BIEN, COMO MÍNIMO, QUE ESTÁ CERCA DEL QUE LO HACE.

fis

¿SÓLO "SUS OJOS"...?

GRACIAS. TUS OJOS SON MI TESORO. ¡NO, EL TESORO DEL NUEVO MUNDO!

AAHH. LIGHT...

MISA.

154

GRACIAS AL PRESIDENTE, AHORA TENGO PEONES QUE MOVER. LOCALIZARÉ AL TIPO, MANDARÉ A LA TROPA Y RECUPERARÉ EL CUADERNO.

¡VEH!

¡BIEN, LO PRIMERO SERÁ AVERIGUAR QUÉ MAFIOSOS TIENEN RELACIÓN CON ÉL! ¡VOLVERÉ PARA INVESTIGARLO!

Y TÚ, MELLO... QUIEN CAMBIARÁ EL MUNDO CON EL CUADERNO DE MUERTE ES KIRA. ¡TE VAS A ENTERAR!

NEAR, HASTA AHORA QUIZÁS TE HAYA DADO OTRA IMPRESIÓN, PERO EL MEJOR DETECTIVE DEL MUNDO ES Y SERÁ L.

PAGE.69 VUELO

105 Jack Neylon

Danny Blo

JACK NEYLON. NOMBRE REAL KAL SNYDAR. ARRESTADO CUATRO VECES POR SUPUESTO CONTRABANDO DE DROGAS Y ARMAS. SIN EMBARGO, LAS CUATRO FUE LIBERADO POR FALTA DE PRUEBAS O BIEN A CAMBIO DE UNA FIANZA CONSIDERABLE.

108 Andrew Miller 109 Be Walle

SU GUARIDA ESTÁ EN 5636 GRAY ST. LAS VEGAS, NV89152.

DESDE 1987 TRABAJA A LAS ÓRDENES DE RODD LOS, NOMBRE VERDADERO DWHITE GODON.

ESTO SIGNIFICA QUE SON HABILES ACTUANDO AL FILO DE LA LEY, NO DEJAN PRUEBAS, CONFIAN LAS TAREAS MAS COMPROMETIDAS A LOS SUBORDINADOS Y TIENEN BUENOS CONTACTOS CON LA POLICIA... HASTA AHORA HAN PODIDO INCLUSO EVITAR LAS PURGAS DE KIRA.

A PESAR DE TENER TODOS ESTOS DATOS, EL FBI NO HA SIDO CAPAZ DE DESMANTELAR ESTA ORGANIZACIÓN...

PERO SIENDO QUE EL FBI TIENE TODA ESTA INFORMACIÓN, NO CREO QUE SE ENCUENTREN EN ESA GUARIDA...

Y FINALMENTE ESTÁ SNYDAR. PUEDO CONSIDERAR QUE, SI ESTOS CUATRO SE REÚNEN EN ALGÚN LUGAR, ALLÍ ESTARA TAMBIÉN MELLO.

SUS HOMBRES FUERTES SON GURREN, NOMBRE REAL RALPH BAY Y RUSHUALL, NOMBRE REAL AL MIRM.

DWHITE GODON ES EL LIDER DE LA ORGANIZACIÓN.

Y AUNQUE MELLO NO SE ENCONTRARA AHÍ, COMO SE TRATA DE IRRUMPIR EN UNA GUARIDA DE LA MAFIA, PUEDO ENCONTRAR MIL EXCUSAS.

NO CREO QUE MELLO SALGA POR LA CALLE SIN TOMAR PRECAUCIONES, POR LO QUE SI CONSIGO ENCONTRAR UN LUGAR EN EL QUE AL MENOS DOS DE ESTOS CUATRO INDIVIDUOS ENTREN Y SALGAN CON FRECUENCIA, AHÍ SERÁ...

LA SPK TAMBIÉN HA DICHO QUE ESTABA REDUCIENDO EL CERCO. ¿SERÁ EN LA MISMA DIRECCIÓN?

PARTIENDO DE LAS VÍCTIMAS QUE HA HABIDO HASTA AHORA, ACABAS LLEGANDO SIEMPRE A ELLOS.

Y EN UNA SOLA NOCHE... ES IMPRESIONANTE.

VAYA, ¿CONQUE ESTA ORGANIZACIÓN RESULTA SOSPECHOSA? ¡TÚ NUNCA DEFRAUDAS, LIGHT!

YA HA LLEGADO LA TROPA.

¿SÍ? AQUÍ L.

ES EL PRESIDENTE.

David Hoope

QUÉ RÁPIDOS. MUCHAS GRACIAS.

BI BI

EL COMANDANTE JOE SE ENCUENTRA EN MI DESPACHO EN ESTOS MOMENTOS. LE HE CONTADO LA SITUACIÓN TAL Y COMO ME HAS DICHO.

¿EN SU DESPACHO? ¿ESTÁ SEGURO?

TRANQUILO. SU OTRA IDENTIDAD ES LA DE ISAK GATHANE, EMBAJADOR DE UN PAÍS ÁRABE AL CUAL CONOZCO Y APRECIO DESDE HACE DOCE AÑOS.

SÓLO HAY UNA MISIÓN: RECUPERAR EL CUADERNO.

ES DECIR, CUALQUIER MISIÓN QUE QUIERAS CONFIARLE, L, LA LLEVARÁ A...

ADEMÁS, CUMPLIRÁ CUALQUIER ORDEN QUE YO LE DÉ.

SON FOTOS DE LOS LUGARTENIENTES DE LA ORGANIZACIÓN QUE ESTOY CONVENCIDO QUE ESTÁ DETRÁS DE TODO ESTO.

VOY A ENVIARLE UNAS IMÁGENES, PRESIDENTE. PONGA EL MONITOR E3 EN LA LÍNEA 96.

DEL DE DEBAJO A LA IZQUIERDA NO TENGO FOTO, PERO PIENSO QUE ES EL AUTÉNTICO CEREBRO DETRÁS DE LO OCURRIDO. SE HACE LLAMAR MELLO.

CREO QUE LA LIBRETA SE ENCUENTRA DONDE ESTÁN ESTOS CUATRO Y NECESITO QUE IRRUMPAN EN ESE LUGAR.

ARRIBA A LA DERECHA ESTÁ EL SUPUESTO LÍDER, RODD LOS. DEBAJO DE ÉL SE ENCUENTRA GURREN HANGFREEZE. ARRIBA A LA IZQUIERDA ESTÁ RUSHUALL BID. ESTOS TRES SON EL PIVOTE CENTRAL DE LA ORGANIZACIÓN.

SI DUDAMOS ACERCA DE LA CONVENIENCIA DE MATARLOS O NO, PODEMOS PONER EN PELIGRO LA VIDA DEL PRESIDENTE... Y NO ÚNICAMENTE LA SUYA, SINO LA DE TODOS LOS HABITANTES DEL GLOBO.

SÍ, NO QUEDA OTRA.

¿PODEMOS MATARLOS?

SI NOS ARMAMOS HASTA LOS DIENTES Y ESCONDEMOS NUESTROS ROSTROS, LA LIBRETA NO TENDRÁ EFECTO ALGUNO. AUNQUE HAYA CIEN ENEMIGOS, PODEMOS ABATIRLES A TODOS.

SI HAY PERMISO PARA MATAR ENTONCES ES SENCILLO.

ELLOS TIENEN LA LIBRETA ASESINA, PERO SI NO LES DAMOS TIEMPO A ESCRIBIR NOMBRES EN ELLA, NO HABRÁ PROBLEMA.

MUY BIEN. HARÉ QUE JOE ME ATE Y ME ENCIERRE EN UNA CAJA FUERTE, POR EJEMPLO.

NO ES POSIBLE IMPLICAR A OTROS CUANDO SE MATA A ALGUIEN CON EL CUADERNO, PERO ME CONVIENE DECIR ESO.

AUNQUE NO CREO QUE HAYA MOTIVO DE PREOCUPACIÓN, POR SI ACASO, PRESIDENTE, PÓNGASE USTED EN UN LUGAR EN EL QUE NO DISPONGA DE CAPACIDAD DE MOVIMIENTO Y NO PUEDA PULSAR ESE BOTÓN, POR FAVOR.

DE ACUERDO.

PRESIDENTE, HÁGAME LLEGAR LAS IMÁGENES DE SATÉLITE QUE ESTÁN CONSULTANDO AHORA MISMO LA SPK Y LOS CRIMINALES.

BIEN, AHORA...

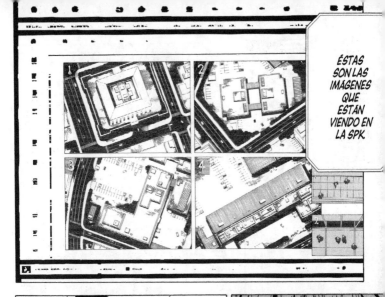

ÉSTAS SON LAS IMÁGENES QUE ESTÁN VIENDO EN LA SPK.

PUES PARECE QUE LO DE QUE LA SPK HABÍA ESTRECHADO BASTANTE EL CERCO NO ERA UN FAROL.

NEAR TAMPOCO ES MOCO DE PAVO.

EL 1 ES EL EDIFICIO EN EL QUE SE ENCUENTRA LA GUARIDA DE LA ORGANIZACIÓN QUE HA INDICADO LIGHT.

...

¡!

¿POR QUÉ ESTARÁ HACIENDO ESTO NEAR...? NO CREO QUE MELLO SE ENCUENTRE EN UN LUGAR FICHADO POR EL FBI... AUNQUE CLARO, SI DE ESE LUGAR SALEN Y ENTRAN PERSONAS RELACIONADAS CON ÉL, SE PODRÍA OBTENER UN HILO A SEGUIR... POR AHORA, ESTO ES TODO LO QUE PUEDE HACER LA SPK...

LOS DEMÁS SERÁN GUARIDAS DE OTRAS MAFIAS, SUPONGO... ES DECIR, QUE AHORA MISMO CUENTAN CON CUATRO POSIBILIDADES.

PRESIDENTE, ¿QUÉ IMÁGENES ESTÁN CONSULTANDO LOS DELINCUENTES?

LAS MISMAS.

PERO SI LA SPK ESTÁ VIENDO ESTO AHORA MISMO, MELLO Y LOS SUYOS, A TRAVÉS DEL PRESIDENTE...

AH, CLARO, AHORA YA PASAN DE LA POLICÍA JAPONESA... CREEN QUE CON TENER CONTROLADO LO QUE VE LA SPK YA LES BASTA...

¿LAS MISMAS?

¡LO SABÍA...!

ME HAN EXIGIDO VER LAS MISMAS IMÁGENES QUE CONSULTA LA SPK.

EN ESTA PUGNA A TRES BANDAS ENTRE MELLO, N Y L, PIERDE AQUÉL CUYA UBICACIÓN ES DESCUBIERTA PRIMERO. Y LOS TRES LO SABEMOS BIEN.

SI ESTÁN VIENDO LO MISMO QUE LA SPK, ENTONCES YA ES SEGURO QUE NO SE ENCUENTRAN EN ESA GUARIDA...

LE CONTROLARÉ CON EL CUADERNO DE MUERTE Y LE HARÉ REVELAR SU GUARIDA.

EN ESTE CASO, SÓLO RESTA UNA BAZA: LA DE KAL SNYDAR...

MELLO HA ELEGIDO A ALGUIEN EN QUIEN NI L NI LA SPK PUDIERA FIJARSE. POR SUPUESTO, TAMPOCO NEAR PUEDE SOSPECHAR DE SNYDAR.

LA FIGURA DE SNYDAR HA SALIDO A RELUCIR GRACIAS AL OJO DE MISA. NO HAY DATOS QUE LO SITÚEN COMO UNO DE LOS LUGAR-TENIENTES DE LA ORGANIZACIÓN.

LA CUES-TIÓN ES CÓMO CON-TRO-LAR A SNY-DAR...

Y A MÍ NO ME SU-PONE NINGÚN PELI-GRO... PUEDE FUN-CIO-NAR...

LO ÚNICO QUE QUE-DARÁ EN EL BANDO DE MELLO ES LA PRESIÓN DE HABER VISTO A UNO DE LOS SUYOS ASESINADO POR KIRA.

AUNQUE SNYDAR MUERA, MELLO SÓLO PODRÁ LLEGAR A LA CONCLUSIÓN DE QUE HA SIDO COSA DE KIRA. SIENDO QUE EL FBI TIENE DATOS ACERCA DE LA MAFIA, NO ES IMPOSIBLE QUE KIRA PUEDA ACCE-DER A ELLOS... ASÍ, NO PODRÁ DEDUCIR LA IDENTIDAD DE KIRA A PARTIR DE LA MUERTE DE SNYDAR.

TIENE QUE HABER FORMAS MENOS DIRECTAS... CLARO, NO TENGO POR QUÉ APRESURARME, PORQUE PUEDO CONTROLARLE DURANTE 23 DÍAS... ES MUY IMPROBABLE QUE NO SALGA AL EXTERIOR NI UNA SOLA VEZ EN TANTO TIEMPO...

LA MANERA MÁS SENCILLA SERÍA OBLIGARLE A LLEVAR EL CUADERNO A UN SITIO EN CONCRETO, PERO NO CREO QUE PUEDA TENER ACCESO LIBRE A ÉL. EN TAL CASO, PUEDO PEDIRLE QUE LE SAQUE UNA FOTO A MELLO, PERO ESTO TAMBIÉN ES COMPLICADO. SI LE OBLIGO A HACER ALGO IMPOSIBLE, O BIEN LO MATARÁN O BIEN SE CONSIDERARÁ "ALGO IRREALIZABLE" Y MORIRÁ DE UN PARO CARDÍACO... Y ESO NO PUEDO PERMITIRLO.

ALGO SENCILLO DE LO QUE NO SE PERCATEN NI LOS DE MELLO NI LA SPK, PERO QUE SÍ LLEGUE A MÍ...

Y UNA VEZ FUERA, HAY INCONTABLES MANERAS DE INDICAR SU UBICACIÓN. MANERAS QUE NO IMPLIQUEN ALGO DEMASIADO LLAMATIVO, UTILIZAR APARATOS DE COMUNICACIÓN O DEJAR PRUEBAS QUE HAGAN SOSPECHAR DE ÉL...

Y SI FRACASARA, SIMPLEMENTE MORIRÍA SNYDAR. EN ESE CASO, BASTARÍA CON PROBAR CON OTROS MIEMBROS DE LA ORGANIZACIÓN...

SALGO UN MOMENTO.

Y QUE LO DIGAS.

HAN PASADO CUATRO DÍAS Y NINGUNO DE ELLOS CUATRO HA SALIDO. SIENDO ASÍ, NO CREO QUE ESTÉN OCULTOS EN NINGUNO DE ESTOS LUGARES.

CUATRO DÍAS DESPUÉS.

YA, PERO ÚLTIMAMENTE NECESITA SALIR CASI CADA DÍA A TOMAR EL AIRE... Y FUE ÉL MISMO QUIEN DIJO QUE DEBÍAMOS EVITAR SALIR EN LO POSIBLE.

¡QUÉ BURRO ERES! SE VA A VER A MISAMISA, HOMBRE. ¿TE HAS ENAMORADO TÚ ALGUNA VEZ, IDE?

ÚLTIMAMENTE, LIGHT TIENE QUE ESTAR CANSADO...

...

¿EH? ¿AH, SÍ? PUES, CONOCIÉNDOLE Y VIENDO LA CARA QUE PONE, YO LE VEO BIEN.

AUNQUE... NO HAN SIDO GRANDES PASIONES, LA VERDAD...

...

AH, ESTE... PERDONA...

¡¿A QUIÉN LLAMAS TÚ BURRO?! ¡Y POR SUPUESTO QUE ME HE ENAMORADO, ¿POR QUIÉN ME TOMAS...?!

NO, TIENE QUE VENIR.

¿VEN- DRÁ..? ¿O NO VENDRÁ...?

MISA TO- DAVÍA NO HA VUELTO... PARECE QUE SU TRABAJO EN LA PELÍCULA CADA VEZ LE OCUPA MÁS TIEMPO...

YA HA LLEGADO. ME LO HAN DADO EN RECEPCIÓN. ERA ESTO, ¿NO? PONE QUE ES PARA AMONE MISYA, PERO BUENO...

¡LIIIGHT! JU, JU...

¡¡¡LIGHT!!!

HA VENI- DO...

945 Clydown Ave
Los Angels,
CA 90103

¡ESTÁN EN LOS ÁNGELES...!

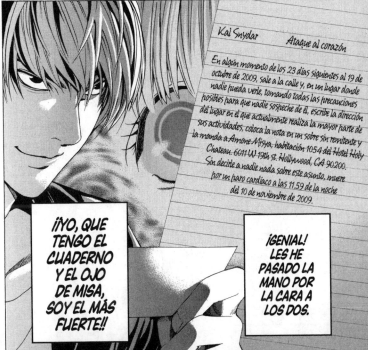

Kal Snydar   Ataque al corazón

En algún momento de los 23 días siguientes al 19 de octubre de 2009, sale a la calle y, en un lugar donde nadie pueda verle, tomando todas las precauciones posibles para que nadie sospeche de él, escribe la dirección del lugar en el que actualmente realiza la mayor parte de sus actividades, coloca la nota en un sobre sin remitente y la manda a Amone Misya, habitación 1054 del Hotel Holy Chateau: 6011 W. 19th St. Hollywood, CA 90200. Sin decirle a nadie nada sobre este asunto, muere por un paro cardíaco a las 11:59 de la noche del 10 de noviembre de 2009.

¡¡YO, QUE TENGO EL CUADERNO Y EL OJO DE MISA, SOY EL MÁS FUERTE!!

¡GENIAL! LES HE PASADO LA MANO POR LA CARA A LOS DOS.

SNYDAR SEGUIRÁ VIVO DURANTE MÁS DE DOS SEMANAS TODAVÍA... EN ESE TIEMPO ESTARÁN TODOS MUERTOS... Y TODO SE ZANJARÁ SIN QUE NI MELLO NI NEAR PUEDAN SABER LO QUE HA OCURRIDO.

HE MEMORIZADO LA DIRECCIÓN. TENDRÉ QUE ASEGURARME, PERO CREO QUE NO HAY DUDA DE QUE EL CUADERNO DE MUERTE SE ENCUENTRA ALLÍ.

SÍ. TE QUIERO, MISA.

¡LIGHT! OTRA VEZ HE PODIDO SERTE ÚTIL, ¿VERDAD?

JUJUJU... ¿ESTA ES LA CARA QUE PONE ALGUIEN QUE DICE "TE AMO"...?

MISA, NO LE DIGAS NADA A NADIE SOBRE LA CARTA.

AUNQUE TAMPOCO CREO QUE NADIE HICIERA CASO DE ESO. ES TOTALMENTE ESPERABLE QUE RECIBAS CARTAS DE FANS SIN REMITENTE.

ESO NO HACE FALTA NI DECIRLO.

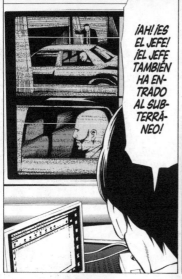

¡AH! ¡ES EL JEFE! ¡EL JEFE TAMBIÉN HA ENTRADO AL SUBTERRÁNEO!

ENTONCES YA NO CABE DUDA.

SÍ, Y TAMBIÉN HE VISTO ENTRAR Y SALIR A OTROS QUE DEBEN DE SER SUBORDINADOS.

PRIMERO GURREN HANGFREEZE Y AHORA EL JEFE, RODD LOS. ¡ES AQUÍ, ESO SEGURO!

TENGO A VEINTE DE MIS HOMBRES APOSTADOS ALREDEDOR DEL EDIFICIO DONDE SE ENCUENTRAN ESOS TIPOS, COMPLETAMENTE ARMADOS. ESPERAMOS INSTRUCCIONES.

NO HAY OTRA QUE CONTAR CON EL FACTOR SORPRESA Y ATACAR NOSOTROS... ANTES DE QUE MELLO AVERIGÜE MAS COSAS SOBRE LA LIBRETA... ANTES DE QUE NEAR PUEDA ATRAPARLE...

NO CREO QUE MELLO SALGA AL EXTERIOR Y, AUNQUE LO HICIERA Y LO MATARAMOS, ESO NO IMPLICARIA LA RECUPERACIÓN DEL CUADERNO.

HAY MUCHAS CÁMARAS DE VIGILANCIA, PERO CREO QUE, SI ATACAMOS TODOS A LA VEZ, PODEMOS COMPLETAR LA MISIÓN EN MENOS DE UN MINUTO.

¡AHORA PODRÉ RECUPERAR LA LIBRETA!

HA LLEGADO LA HORA.

IRRUMPID EN EL LUGAR CON LA RECUPERACIÓN DEL CUADERNO COMO PRIMERA PRIORIDAD.

NO HAY PROBLEMA. NI LOS CRIMINALES NI LA SPK ESTÁN CONSULTANDO IMÁGENES DE SATÉLITE DE LA ZONA.

¡ADELANTE!

¡UGH!

¡NO OS PREO-
CUPÉIS POR LAS
CÁMARAS DE VIGI-
LANCIA! ¡SEGUID
ADELANTE!

QU...
¡¿QUÉ PA-
SA?!

¡AH, QUÉ PALO!

PERO NECESITO RECUPERAR MI LIBRETA...

¿SE PUEDE SABER POR QUÉ ME TOCA VIGILAR A MÍ...?

?!

QU... ¿QUÉ PASA? ¿QUÉ ESTÁ OCURRIENDO?

SI QUE TE RESISTES, CHICO. SUELTA EL CASCO.

¡UAH!

¡FUEEE-RA!

¿HM?

EN EL 7, SHEIB BELL A LA DERECHA Y ROY SANDERS A LA IZQUIERDA.

EN EL 2, GREG RANDOLPH.

EN EL MONITOR 1, JOE MOLTON.

CANTA LOS NOMBRES, SNYDAR.

AAAH... ES... ¿ESTÁN MUERTOS...?

UNA VEZ MUERTOS, NOS IREMOS A OTRO LUGAR. ESPERO QUE ESTÉ TODO LISTO.

LES HAN QUITADO LOS CASCOS... Y HAN MUERTO LOS QUE HAN QUEDADO AL DESCUBIERTO... ES... ESTO... NO ES POSIBLE...

¡PO KKU

TAMPOCO ES QUE NECESITE QUE ME VEA, PERO BUENO... EL PROPIETARIO AHORA ES KAL SNYDAR, POR LO QUE, SI TOCO LA LIBRETA CUANDO SNYDAR LA TENGA EN SUS MANOS, ÉL PODRÁ VERME Y LUEGO LOS DEMÁS PODRÁN HACERLO A SU VEZ A MEDIDA QUE LA VAYAN TOCANDO TAMBIÉN...

...AUNQUE TOQUE LA LIBRETA, ÉSTE NO PUEDE VERME...

¿QUÉ LE VAMOS A HACER? CON SÓLO TOCAR LA LIBRETA NO VA A PASAR A SER MÍA Y TAMPOCO IMPLICARÁ NINGÚN CASTIGO.

NO PARECE QUE, POR MUCHO QUE ESPERE PACIENTEMENTE, SNYDAR VAYA A TOCAR EL CUADERNO... Y ME GUSTARÍA QUE TODOS PUDIERAN VERME PARA PODER HABLAR CON ELLOS...

AQUÍ ESTÁ...

ES QUE LOS SHINIGAMI TENEMOS VARIAS LEYES.

UN SEGUNDO. VOY A VER SI HAY MODO DE AVERIGUARLO...

A VER...

EL NO ACATAMIENTO DE ESTA LEY SUPONDRÁ LA MUERTE TRAS SUFRIR UN DOLOR DE SEGUNDO NIVEL.

CUANDO UN SHINIGAMI HA PERDIDO SU LIBRETA EN EL MUNDO HUMANO Y NO TIENE OTRA DISPONIBLE... SE LE PERMITE EXTRAORDINARIAMENTE PERMANECER EN EL MUNDO DE LOS HOMBRES, PERO NO DEBE CONTAR NADA ACERCA DE NINGUNA LIBRETA QUE NO SEA LA SUYA A NINGUNA PERSONA.

QUÉ INÚTILES SON ESTOS SHINIGAMI.

...

NO PUEDO... NO SÉ NADA Y, AUNQUE LO SUPIERA, NO PODRÍA DECIRLO. SÓLO PUEDO HABLAR ACERCA DEL CUADERNO QUE YO MISMO PERDÍ.

JOD... EL DE SEGUNDO NIVEL ES EL SIGUIENTE DESPUÉS DEL PRIMERO...

¿QUÉ HAGO...?
¿CÓMO PUEDO
RECUPE-
RARLA...?
SI SIGO PER-
DIENDO EL
TIEMPO,
IGUAL ACABO
MURIENDO...

SUPONGO QUE
PODRÍA DECIRLES
CUALQUIER COSA
SI ME DEVOLVIERAN
LA LIBRETA, PERO NO
TENDRÍA NINGÚN
SENTIDO SEGUIR
CON ELLOS SI LA
RECUPERARA... Y
TAMPOCO CREO QUE
ESTÉN POR LA LABOR
DE PASÁRMELA...

TIENE
QUE SER
ASÍ COMO
KIRA AVE-
RIGUA LOS
NOMBRES.
PODRÉ
OBTENER
UN PODER
EQUIVA-
LENTE AL
SUYO...

Y SI SE
REALIZA
EL TRATO
DEL OJO,
SE PUEDE
SABER EL
NOMBRE
DE ALGUIEN
SÓLO CON
SABER SU
ROSTRO...

¡SÍ!

SHIDOH.

SI CON "JACK"
TE REFIERES A
ESTE TIPO DE
GAFAS Y PELO
LARGO, ASÍ ES.

LOS
DERECHOS DE
POSESIÓN SOBRE
EL CUADERNO
PUEDEN SER
TRANSMITIDOS
ENTRE HUMANOS
MIENTRAS EXISTA
VOLUNTAD DE
HACERLO, Y AHORA
ES JACK QUIEN
LOS TIENE. ¿ESTÁS
SEGURO DE
ESTO?

ES QUE... QUEDARME CON LA MITAD DE MI ESPERANZA DE VIDA RESTANTE ES...

...

!

JACK, REALIZA EL TRATO DEL OJO.

JEFE...

JACK... ¿NO LO PREFIERES A MORIR AHORA MISMO?

DECIDIDO, PUES.

...

SABES QUE CONFÍO EN TI Y SÉ QUE TÚ DARÍAS LA VIDA POR MÍ... ADEMÁS, REALIZAR ESTE TRATO TE CONVERTIRÍA EN MI BRAZO DERECHO SIN DISCUSIÓN.

QUÉ DIVERTIDO, JACK. LUEGO ME DICES EN SECRETO LOS LAPSOS DE TODOS EXCEPTO EL MÍO Y EL DE MELLO.

...

Y EL NOMBRE REAL DE LOS QUE USAN APODOS.

¡LOS VEO! ¡VEO VUESTROS NOMBRES Y VUESTRO LAPSO DE VIDA!

PERO SEGURAMENTE NO PUEDE HACERLO DEBIDO A ALGUNA DE SUS LEYES U OTRA COSA...

ESTE SHINIGAMI... ANTES HA DICHO QUE PERDIÓ EL CUADERNO... HABRÁ QUE CONSIDERAR QUE HA VENIDO PARA RECUPERARLO. PARA HACERLO LE BASTARÍA CON MATARNOS...

HACED ENTRAR A LOS VIGILANTES DE FUERA. AHORA BASTARÁ CON LAS CÁMARAS Y SHIDOH.

¿EH...? ¿CÓMO SABE QUE... HE VENIDO A RECUPERARLA...? QUÉ PASADA... MEJOR ME APUNTO A SU BANDO...

SI CONSIGO HACERME CON LA LIBRETA DE KIRA, TE DEVOLVERÉ UNA A TI.

¿EH?

SHIDOH, SAL A MONTAR GUARDIA.

NOS VAS DE PERLAS PORQUE LOS HUMANOS NO PUEDEN VERTE. SI VIENE ALGUIEN, HAZ QUE SU ROSTRO QUEDE AL DESCUBIERTO ANTE LAS CÁMARAS.

¡¡NAAAGH!!

Y MIRA LO QUE HA PASADO CUANDO HE SALIDO A VIGILAR...

?!

¿EH?

SHIDOH, ARRASTRA A ÉSE A DENTRO.

¡AH! ¡UNO ESTÁ ENTRANDO!

QU... ¿QUÉ DEMONIOS ESTÁ PASANDO...?

¿CÓMO ES POSIBLE...? SI EL SHINIGAMI ASOCIADO A ESE CUADERNO ERA REM... LO QUE SIGNIFICA QUE AHORA NO HAY NINGU-NO... ¿QUÉ HA PASADO...?

¡¡HAY UN SHI-NIGA-MI!!

NO CABE DUDA.

ESTÁ ENTRANDO COMO SI LE ESTUVIESEN ARRASTRAN-DO... LES HAN QUITADO LOS CASCOS DE FORMA TOTALMENTE ANTINATURAL... LOS QUE SE HAN QUEDADO A CARA DES-CUBIERTA HAN MUERTO...

SI LA SPK SE ENTERA, DES-CUBRIRÁN QUE L ESTABA AL MANDO. Y NEAR SE EXTRA-ÑARÁ Y SE PRE-GUNTARÁ CÓMO HE PODIDO AVERI-GUAR EL LUGAR... NO QUIERO QUE ESTA OPERACIÓN SE RELACIONE CON L.

CONTAC-TEMOS CON LA SPK. ELLOS IGUAL PUEDEN...

PERO AHORA SÓLO PODEMOS MOVILIZAR A LA PO-LICÍA...

LO QUE ES SEGURO ES QUE LOS CRIMINALES ESTÁN AHÍ. ¿NO SE PUE-DE HACER NADA?

SE MIRE COMO SE MIRE...

NO. TAMBIÉN LA SPK TIENE LIMITACIONES Y AHORA MISMO SÓLO PUEDEN MOVILIZAR CON URGENCIA A LA POLICÍA QUE SE ENCUENTRE EN LAS CERCANÍAS DEL LUGAR. ES DEMA-SIADO PELIGROSO, POR NO DECIR IMPOSIBLE.

...

LIGHT, SOLICITE-MOS RE-FUERZOS A LA SPK.

NO, NO ES REM.

EN... ENTONCES REM HA REGRESADO...

Y NO HAY OTRA QUE CONSIDERAR QUE MELLO Y LOS SUYOS SON AHORA CAPACES DE MATAR SÓLO CON UN ROSTRO.

!!

HAY UN SHINIGAMI.

ENTONCES LA OPERACIÓN HA FRACASADO...

CLARO, TIENE QUE SER COSA DE UN SHINIGAMI...

ADEMÁS, NO CREO QUE ACCEDIERA A OBEDECER ÓRDENES DE HUMANOS Y SE PUSIERA A QUITAR CASCOS.

SI FUESE REM, Y SIGUIENDO LA LÓGICA DE HASTA AHORA, POSIBLEMENTE PODRÍAMOS VERLE.

PERDONAD. NECESITO UN RATO PARA PENSAR A SOLAS.

LIGHT...

NADIE HABRÍA PREVISTO LA APARICIÓN DE UN NUEVO SHINIGAMI. ¡¡SIN ESE FACTOR, LA ESTRATEGIA HABRÍA FUNCIONADO SIN PROBLEMAS!!

¿EH?

¿QUÉ ESTÁ PASANDO, RYUK?

UAH...

ER... PUES ESE CUADERNO ME LO ENCONTRÉ EN EL MUNDO DE LOS SHINIGAMI... Y LUEGO TE LO PASÉ... SERÁ EL MENSAJERO DE LA MUERTE QUE LO PERDIÓ, SUPONGO...

DE NO SER ASÍ, A ESTAS ALTURAS MELLO Y LOS SUYOS YA ESTARÍAN MUERTOS.

ES LA LIBRETA QUE TÚ ME PASASTE AL PRINCIPIO DE TODO. ¿POR QUÉ HA TENIDO QUE APARECER A ESTAS ALTURAS UN SHINIGAMI?

VALE, PUES SEGURO.

¿CÓMO QUE "NO CREES"? NECESITO ESTAR SEGURO.

AH, NO CREO QUE HAYA MOTIVO DE PREOCUPACIÓN. UN SHINIGAMI QUE NO TIENE SU PROPIA LIBRETA NO PUEDE HACER ESO.

...

NO DELATARÁ ESE OTRO SHINIGAMI LA VERDADERA IDENTIDAD DE KIRA Y L, ¿VERDAD QUE NO?

SNYDAR MORIRÁ DENTRO DE 14 DÍAS... SI LLEGA ESE DÍA, MELLO DEDUCIRÁ QUE KIRA HA ESTADO DETRÁS DE LA OPERACIÓN DE HOY...

...

EL SHINIGAMI NO ME DELATARÁ. DE MOMENTO, ME BASTA CON SABER ESTO...

ABANDONA EL CINE.

¿EH?

¿HM?

MISA.

...

¡¡VVAAA!!

¿ME RETIRO PARA CASARME?

SÍ, PODEMOS CASARNOS SI QUIERES. PERO TIENES QUE DEJARLO.

QUIZÁS DEBERÍA MATARLA AHORA...

AUNQUE... SÓLO SALIR DE LA ESCENA ES DEMASIADO IMPRUDENTE, QUIZÁS... SI EL ENEMIGO TIENE TAMBIÉN EL OJO, BASTARÁ CON QUE VEA CUALQUIER FOTO DE MISA, PRESENTE O PASADA, PARA DARSE CUENTA DE QUE PUEDE VER SU NOMBRE PERO NO SU LAPSO DE VIDA. ASÍ PUES, HAY POSIBILIDADES DE QUE DESCUBRAN QUE MISA ES LA POSEEDORA DEL OTRO CUADERNO DE MUERTE...

EL ÚNICO TEMOR QUE PUEDO TENER ES EL DE QUE, ESTANDO UN SHINIGAMI CON ÉL, HAYA PODIDO AVERIGUAR LO DE LAS NORMAS FALSAS... SIENDO ASÍ, HABRÁ QUE PONER LOS PUNTOS SOBRE LAS ÍES EN BREVE. YA TENGO VARIOS PLANES PARA CONSEGUIRLO.

SÍ, AHORA SIMPLEMENTE MELLO SE HA PUESTO A MI ALTURA. NO, SIGO POR ENCIMA PORQUE SÉ CUÁL DE LOS SUYOS TIENE EL OJO Y QUIÉNES ESTÁN A SU ALREDEDOR.

POR SUERTE, AQUÍ EN LOS ESTADOS UNIDOS, ELLA TODAVÍA NO ES UN PERSONAJE PÚBLICAMENTE NOTORIO NI DE LEJOS. EL HECHO DE QUE ABANDONE EL MUNDO DEL CINE NI SIQUIERA SERÁ NOTICIA AQUÍ... TODO IRÁ BIEN MIENTRAS NUESTRO ENEMIGO PERMANEZCA EN ESTE PAÍS.

NO, PORQUE ESO IMPLICARÍA PERDER EL OJO Y ME PONDRÍA EN POSICIÓN DE INFERIORIDAD. EN EL PEOR DE LOS CASOS PODRÍA RENUNCIAR AL CUADERNO Y LUEGO VOLVER A HACER EL TRATO DEL OJO... POR MÍ, MISA LO HARÍA LAS VECES QUE HICIERA FALTA.

OTRO SUICI-DIO...

JEFE, LA HEMOS CAGA-DO. SUPONGO QUE TENÍA VE-NENO EN UNA CÁPSULA DE SUS DIENTES Y ÓRDENES DE SUICIDARSE ANTES DE QUE PUDIÉRAMOS INTERRO-GARLE...

SÍ.

LLAMA AL PRESI-DENTE.

TUUUU

TUUUU

NO ESTOY TAN SE-GURO...

VENGA YA... SIMPLE-MENTE NO SE PODRÁ PONER, HOMBRE.

LE ESTOY LLAMANDO PERO NO CONTESTA.

¿HA SIDO LA SPK...? ¿O L...? ¿O ACASO...?

SÓLO EL PRESIDENTE Y UNA PEQUEÑA TROPA LO SABÍAN, Y NO LA SPK. NO CREO QUE HAYAN PODIDO AVERI-GUAR NUESTRO ESCONDITE...

HA MANDADO A UNA TROPA DE LAS FUERZAS ESPECIALES, PERO EL PLAN HA FRACASADO... Y, TEMIENDO QUE PUDIÉRA-MOS CONTROLARLE, SE HA SUICIDADO ANTES DE QUE LE OBLIGÁRAMOS A PULSAR EL BOTÓN NUCLEAR... SI HA OCURRIDO ASÍ, HA SIDO UN GRAN PRESIDENTE...

[8] OBJETIVO - FIN

DEATH NOTE
How to use it
XLVI

• There are laws in the world of gods of death. If a god of death should break the law, there are 9 levels of severity starting at Level 8 and going up to Level 1 plus the Extreme Level. For severity levels above 3 the god of death will be killed after being punished.

Existen leyes promulgadas en el mundo de los shinigami que afectan a sus habitantes. Quebrantarlas supone ser penalizado dependiendo de la magnitud del crimen. Hay nueve niveles: el especial y del 1 al 8. Una condena en el nivel 3 o superior supone la ejecución del reo tras recibir el castigo correspondiente.

• For example, killing a human without using the DEATH NOTE is considered as the Extreme Level.

Por ejemplo, que un shinigami mate a un ser humano con cualquier método que no sea el Cuaderno de Muerte supone una pena de nivel especial.

DEATH NOTE Nº 8

DEATH NOTE © 2003
by Tsugumi Ohba, Takeshi Obata
All rights reserved.
First published in Japan in 2003 by SHUEISHA Inc., Tokyo.
Spanish translation rights in Spain arranged by SHUEISHA Inc.
through VIZ Media Europe, Sarl, France.

Edición española:
Director editorial: Joan Navarro
Asesor: Enric Piñeyro
International rights: Sonoe Nanko
Traducción: Marc Bernabé (Daruma Serveis Lingüístics, SL)
Rotulación y retoques de interior: Acrobat Estudio
Diseño Gráfico: Luis Domínguez y José Miguel Álvarez
Redacción: Helena Muzàs
Editor: Félix Sabaté

© 2007 Ediciones Glénat España, S.L.
C/ Sancho de Ávila 89, 4ª planta
08018 Barcelona
www.edicionesglenat.es
e-mail: info@edicionesglenat.es

5ª reimpresión marzo de 2011
ISBN: 978-84-8357-168-2
Depósito legal B-7085-2011
Impreso por Liberduplex
Printed in Catalonia

SHONEN MANGA

TÍTULOS PUBLICADOS

DEATH NOTE 13:
GUÍA DE LECTURA
de Tsugumi Ohba y Takeshi Obata
TOMO ÚNICO

DEATH NOTE:
ANOTHER NOTE (NOVELA)
de Nisioisin
TOMO ÚNICO

DEATH NOTE:
L CHANGE THE WORLD (NOVELA)
de M
TOMO ÚNICO

666 SATAN
de Seishi Kishimoto
19 Tomos / BIMESTRAL

EL DULCE HOGAR DE CHI
de Konami Kanata
SERIE ABIERTA / BIMESTRAL

KIMAGURE ORANGE ROAD
de Izumi Matsumoto
10 TOMOS / COMPLETA

RUROUNI KENSHIN
EDICIÓN INTEGRAL
de Nobuhiro Watsuki
22 TOMOS / BIMESTRAL
··· *Formato* BIG MANGA ···

BLUE DRAGON
de Tsuneo Takano y Takeshi Obata
4 TOMOS / COMPLETA

KING OF THORN
de Yūji Iwahara
6 TOMOS / COMPLETA

EUREKA SEVEN
de BONES, Jinsei Kataoka
y Kazuma Kondō
6 TOMOS / COMPLETA

SAKURA WARS
de Ōji Hiroi, Kōsuke Fujishima
e Ikku Masa
9 TOMOS/ COMPLETA

GINTAMA
de Hideaki Sorachi
SERIE ABIERTA

THE ONE POUND GOSPEL
de Rumiko Takahashi
4 TOMOS / COMPLETA
··· *Formato* BIG MANGA ···

HAYATE:
MAYORDOMO DE COMBATE
de Kenjirō Hata
SERIE ABIERTA

THE PRINCE OF TENNIS
de Takeshi Konomi
42 TOMOS / COMPLETA

DEATH NOTE
de Tsugumi Ohba y Takeshi Obata
12 TOMOS / COMPLETA

D. GRAY-MAN
de Katsura Hoshino
SERIE ABIERTA

CLAYMORE
de Norihiro Yagi
SERIE ABIERTA

BLEACH
de Tite Kubo
SERIE ABIERTA / BIMESTRAL

SHAMAN KING
de Hiroyuki Takei
32 TOMOS / COMPLETA

TRIGUN
de Yasuhiro Nightow
2 TOMOS / COMPLETA

TRIGUN MAXIMUM
de Yasuhiro Nightow
14 TOMOS / COMPLETA

SAINT SEIYA
THE LOST CANVAS HADES MYTHOLOGY
de Masami Kurumada y Shiori Teshirogi
SERIE ABIERTA / BIMESTRAL

SAINT SEIYA EPISODIO G
de Kurumada y Okada
SERIE ABIERTA

SAINT SEIYA
LOS CABALLEROS DEL ZODÍACO
de Masami Kurumada
28 TOMOS / COMPLETA

YU YU HAKUSHO
de Yoshihiro Togashi
19 TOMOS / COMPLETA

CAPITÁN TSUBASA
LAS AVENTURAS DE OLIVER Y BENJI
de Yoichi Takahashi
37 TOMOS / COMPLETA

NARUTO
de Masashi Kishimoto
SERIE ABIERTA / BIMESTRAL

SAMURAI DEEPER KYO
de Kamijyo Akimine
38 TOMOS / COMPLETA

NEGIMA!
de Ken Akamatsu
SERIE ABIERTA / BIMESTRAL

LOVE HINA
de Ken Akamatsu
14 TOMOS / COMPLETA

1 OR W
de Rumiko Takahashi
TOMO ÚNICO
··· *Formato* BIG MANGA ···

LA TRAGEDIA DE P
de Rumiko Takahashi
TOMO ÚNICO
··· *Formato* BIG MANGA ···

LAMU
de Rumiko Takahashi
15 TOMOS / COMPLETA
··· *Formato* BIG MANGA ···

MAISON IKKOKU
de Rumiko Takahashi
10 TOMOS / COMPLETA
··· *Formato* BIG MANGA ···

INU-YASHA
de Rumiko Takahashi
56 TOMOS / COMPLETA

RANMA 1/2
de Rumiko Takahashi
38 TOMOS / COMPLETA

ART BOOKS

NARUTO UZUMAKI
LIBRO DE ILUSTRACIONES
de Masashi Matsumoto

BLEACH
LIBRO DE ILUSTRACIONES
de Tite Kubo

INU-YASHA
RECOPILATORIO DE ILUSTRACIONES
de Rumiko Takahashi/
INU-YASHA en versión animada

RANMA 1/2 ARTBOOK
de Rumiko Takahashi

LOVE HINA / AHIHNA
LIBRO DE ILUSTRACIONES
de Ken Akamatsu

¿HASTA DÓNDE LLEVARÍAS TU PASIÓN POR EL VOLEI?
¿QUÉ ARRIESGARÍAS POR CUMPLIR TU SUEÑO?

BENINO
VOLLEY BALL
CLUB

CRIMSON HERO

Mitsuba Takanashi

Glénat

D.Gray-Man
Katsura Hoshino
SÓLO ELLOS PUEDEN DESTERRAR A LOS SERES MALÉFICOS
SHONEN MANGA
SERIE ABIERTA
Glénat

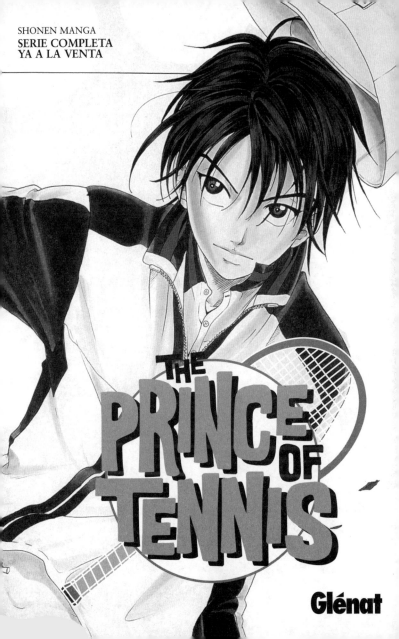

THE PRINCE OF TENNIS

Glénat

TAKESHI KONOMI

MATCH POINT!

XIAN NU
STUDIO

¡LA GUERRA
RE
OS Y
OS HA
DO!

G

BAKEMONO

SIGUE
LA
LÍNEA

Glénat